WANDELEN OM AMSTERDAM

John Jansen van Galen

Wandelen om Amsterdam

2002
Uitgeverij Contact
Amsterdam/Antwerpen

© 2002 John Jansen van Galen

Omslagontwerp Artgrafica
Foto's Hans van der Meer/*Het Parool*
Typografie Arjen Oosterbaan

ISBN 90 254 1659 4
D/2002/0108/515
NUGI 470

www.boekenwereld.com

Inhoud

Voorwoord

Amsterdam is, op de keper beschouwd, bij uitstek uitgangspunt voor wandelingen. Bij wandelen denken de meeste mensen aan de Veluwe en Zuid-Limburg. Die zijn echter voor de hoofdstedeling ver weg zodat het er niet gauw van komt om daar een voettocht te maken. Bovendien zijn de uitgestrekte dennenbossen bij Ermelo met hun lange wegen soms behoorlijk saai, zonder veel afwisseling. En de heuvels rond Valkenburg kunnen de ongetrainde wandelaar nog lelijk opbreken. Waarom zou de Amsterdammer niet dichter bij huis blijven om te wandelen? Waarom zouden mensen uit Gelderland en Limburg, behalve om te funshoppen, niet eens naar de hoofdstad reizen om de omgeving ervan te voet te verkennen? Er is een wereld te ontdekken van onvermoede schoonheid.

Het wonder is hoe, bij alle uitbreidingen van Amsterdam, de groene vingers nog diep in het stadshart grijpen. Niet ver van het Centraal Station is de wandelaar buiten, in elk geval: in de halflandelijkheid die Simon Vestdijk bezong. Vanuit het noorden langs het Noordhollands Kanaal of het Vliegenbos, naar het westen via het Westerpark en de Bretten, zuidwaarts via het Vondelpark, de Nieuwe Meer en het Amsterdamse Bos of langs de Amstel, aan de oostkant door de parken van de Bijl-mer of via de oevers van het Amsterdam-Rijnkanaal en het IJs-selmeer: nooit is het groen ver van het Amsterdamse hart.

Op een uur gaans van de Dam kan de wandelaar aan de kant van een sloot tussen rietkragen staan. Een koekoek roept, een haas rent door de weide, vingerhoedskruid bloeit. De stads-rand is vaak in zicht: de flats in Noord, de kranen in het Wes-telijk Havengebied, de Arena en boven alles uit de Rem-brandttoren. Stil wordt het nooit – men hoort het gerucht van een snelweg, vliegtuigen stijgen op van Schiphol. Maar een ooievaar vliegt op van zijn nest, een eekhoorn klautert een boom in en een boer steekt groetend zijn hand op: de stad lijkt heel ver weg.

En dan: het gebied rond Amsterdam is vol van historie. Loop de oude Zuiderzeestadjes in, de groenhouten buurten aan de Zaan of de vrijstaat Ruigoord. Zie, op bijna iedere wandel-route, de restanten van de Stelling van Amsterdam, een mach-tige gordel van verdediging waarin de natie zich tegen de op-rukkende vijand zou kunnen verschansen – nooit van nut geweest, nu 'werelderfgoed'. Inspecteer robuuste molens, bak-stenen sluisjes en gemalen, kerken en stadhuisjes. Kuier over landgoederen van rijke Amsterdamse kooplieden uit voorbije eeuwen.

Toen Matthijs van Nieuwkerk als hoofdredacteur van *Het Parool* bezig was deze krant op Amsterdam te concentreren, vroeg hij mij in 1999 wandelerwijs hetzelfde te doen met een wekelijkse rubriek gedurende de zomer. Ik op pad! Dat de omgeving van Amsterdam doorkruist wordt door gemarkeerde trajecten van langeafstandswandelingen wist ik, maar toen pas realiseerde ik mij hoeveel het er zijn: Pelgrimspad, Trekvogelpad (voorheen deels Waterlandpad), Graaf Floris v-pad, Zuiderzeepad, Duin- en Polderpad, Visserspad en de Amsterdamse Ommegang. Ze staan alle, voorzien van detailkaarten en toelichtingen over de omgeving, beschreven in handige gidsjes, die worden uitgegeven door de Stichting Lange Afstands Wandelpaden en het NIVON en verkrijgbaar zijn in de boekhandel.

Met *Wandelen om Amsterdam* wilde ik het niet beter weten dan de experts die de reeds bestaande wandelingen samenstelden. Op veel plaatsen rond de hoofdstad zijn eenvoudig geen andere wandelpaden te vinden dan die al in een bestaande route zijn opgenomen. Al vond ik daarnaast nog genoeg origineels, een aantal van deze voettochten valt samen met delen van door streepjes aangegeven langeafstandswandelingen. Door combineren en deduceren ontstond zo een staalkaart van eendaagse wandelingen in een cirkel rond Amsterdam, waarvan begin- en eindpunt in een uur per openbaar vervoer te bereiken zijn.

De serie verscheen gedurende drie zomers in *Het Parool*. Toen was de cirkel rond, met 26 routes van Diemen via Uithoorn, Overveen en Ilpendam tot Durgerdam. Hans van der Meer maakte er steeds prachtige foto's bij, waarbij hij ernaar streefde bij ieder traject een dier in beeld te brengen. Wij wensen u veel genoegen.

Praktische informatie

Alleen te voet

Het uitgangspunt was dat minstens een gedeelte van iedere route alleen te voet begaanbaar moet zijn (anders kun je net zo goed op de fiets gaan, hoewel je dan vaak minder ziet omdat je meer op de weg moet letten). Aan deze eis is in op één na (wandeling 6) in alle gevallen voldaan.

Neem de tijd

De lengte van de routes varieert van 10 tot 20 kilometer. Het tempo van de gemiddelde wandelaar bedraagt 4,5 à 5 kilometer in het uur. Rekening houdend met rustpauzes pleegt men 3 à 3,5 kilometer per uur af te leggen. De langere wandelingen worden aldus dagtochten, de kortere vergen een middag of ochtend.

Met het openbaar vervoer

Sommige wandelingen beginnen in de stad, voor de meeste is de wandelaar aangewezen op een korte heen- en terugreis met het openbaar vervoer. Op wandelaars die de auto willen gebruiken is deze gids niet berekend. Het bezwaar van de auto is dat men moet terugkeren naar de plek waar deze geparkeerd staat: alleen rondwandelingen komen dan in aanmerking. Zo ontzegt men zich wat de schrijver V.S. Naipaul 'het raadsel van de aankomst' noemt: de verrassing aan te komen op een plaats die men nog niet kent.

In openbaar vervoer is rond Amsterdam gelukkig ruimschoots voorzien, maar bij de wandelingen 6 en 18 is de terugreis in het weekeinde problematisch. Raadpleeg 0900-9292 over de verbindingen met bijvoorbeeld Nes a/d Amstel en Den Ilp. Vroeger viel er veel te mopperen op deze telefonische inlichtingendienst voor het openbaar vervoer, maar tegenwoordig zijn de dames die u te woord staan voorkomend. Wie het breed wil laten hangen neme naar moeilijker bereikbare plaatsen een mobiel telefoonapparaatje mee om zich vandaar een eindweegs per taxi te laten vervoeren.

Spijs en drank

Natuur is mooi, vond de dichter Kloos, maar je moet er iets bij te drinken hebben. Anders dan men zo dicht bij de grote stad zou verwachten is de horeca langs deze wandelroutes echter schaars vertegenwoordigd. Het komt nogal eens voor dat alleen aan het begin en/of het einde van de wandeling een café gevestigd is (houd er bovendien rekening mee dat in Nederland veel horecagelegenheden op maandag gesloten zijn). Dan is het zaak zelf voor onderweg proviand mee te nemen. Maar het is bij het wandelen onaangenaam veel te moeten dragen! Sultana-koekjes zijn licht van gewicht en zeer voedzaam, pepermunt is heilzaam tegen de dorst.

Natte voeten?

De meeste routes gaan over droge wandelpaden en verharde wegen, maar op de volgende wandelingen moet rekening gehouden worden met de kans op natte voeten: 1, 2, 3, 9, 18, 19, 21, 22, 23 en 24. Het traject voert daar gedeeltelijk over graspaden.

Schoeisel: doe maar gewoon

De vraag naar het juiste schoeisel voor voettochten wordt vaak gesteld. Als men er in een sportzaak naar vraagt wordt men prompt meegetroond naar een stelling vol schoenen die drie- à vierhonderd gulden doen en eruitzien alsof men ermee in het hooggebergte kan lopen, waarvoor ze ook bestemd zijn. Dikwijls zie ik in de verte wandelaars naderen van wie meteen zichtbaar is dat ze zich hebben laten verleiden tot de aanschaf van zulke bergschoenen: ze gaan een beetje strompelend voorwaarts. Behalve de prijs is het bezwaar van dit schoeisel vaak dat het niet prettig aan de voet zit. Bovendien beneemt het de wandelaar het contact van zijn voet met de grond waarop hij loopt, wat een vervreemdend effect geeft.

Wandel dus alleen op dergelijke schoenen als u er echt prettig op loopt of wanneer u moeilijke voeten heeft. Wandelpaden in Nederland stellen u door steilte of losliggend gesteente maar zelden voor problemen waarvoor dit type schoeisel ontworpen is.

Tijdens een lezing over wandelen in Noord-Holland sprak mij eens een oudere man aan. Hij was boer maar de voortdurende crises in de agrarische sector hadden hem overspannen. De arts raadde hem aan te gaan wandelen. Hij had nu in een jaar al 3500 kilometer te voet afgelegd. En raad eens op wat voor schoenen? Hij wees omlaag. Op zijn zwarte, lage herenstappers met een brede, stevige zool. Die man had het begrepen: als je er in het dagelijks leven prettig op loopt zijn schoenen doorgaans ook geschikt voor lange wandelingen in de Lage Landen.

Volg eventueel de streepjescode

In de laatste decennia is de infrastructuur voor langere voettochten in ons land drastisch uitgebreid. Nederland is steeds meer trajecten voor langeafstandswandelingen rijk; ze beslaan in totaal al een 6000 kilometer. Veel wandelingen in dit boek volgen gedeeltelijk, een enkele geheel, een door de Stichting

LAW en het NIVON gemarkeerd traject. In de routebeschrijvingen is aangegeven waar dit het geval is. U kunt daar de aanwijzingen in de tekst blijven volgen maar ook de markering van de langeafstandswandeling, bestaande uit een rood-wit streepje of een dubbel rood-wit streepje waar de wandelaar links- of rechtsaf moet slaan. Bij de Amsterdamse Ommegang, die geen doorgaande route is maar een 'streekpad' dat rondloopt, zijn de tekens rood-geel.

Onvoorziene omstandigheden voorbehouden

Het gebied rond de stad is voortdurend in beweging. Woonwijken verrijzen, nieuwe wegen worden aangelegd, herstelwerkzaamheden uitgevoerd. Daardoor waren bijvoorbeeld de Oranjesluizen voor voetverkeer gesloten; nu kan de wandelaar er weer overheen. Bij een laatste verkenning van de routes in september 2001 bleek het nodig de wandeling naar Ruigoord anders te beschrijven, omdat de weg naar IJmuiden ineens langs de andere kant van dit oord loopt.

De wandelpaden, zoals in deze bundel beschreven, kunnen na verschijning ervan dus bruusk doorkruist zijn. Ik verzoek u vriendelijk mij daarvan ter wille van een mogelijk volgende druk op de hoogte te stellen. Hetzelfde geldt uiteraard voor fouten die onverhoopt in de tekst geslopen zijn. U kunt mij correcties en suggesties voor wijzigingen sturen per fax: 020-6243904 of per e-mail: johnjg@wxs.nl.

1
Langs kliffen, naar een vesting

MAXIS-NAARDEN (17 KM)

De wandelaar moet een weidewinkel en een elektriciteitscentrale voorbij, maar al spoedig is hij waarlijk buiten: op slingerende oude zeedijken vol schapenkeutels, met de kabbelende golfslag van het IJsselmeer naast zich en boven zich zwermen trekvogels die breed uitwaaieren tegen witte schapenwolken in een schoongewaaide lucht. Vlak voor de kust liggen smalle eilandjes vol laag geboomte, verderop het eiland Pampus, daarachter de boomcoulissen van Flevoland. De kliffen van Muiderberg komen in zicht en de robuuste kerk van Naarden torent boven de vesting uit.

In Muiden zijn de voormalige kruitfabriek, het vermaarde slot en twee forten uit vroegere verdedigingslinies te zien. En ook, aan de Vecht, de gedenksteen voor de Revue der Visschersvloot, in 1900 opgevoerd voor een jong koninginnetje. Dan voert het traject weer de open ruimte in en maakt een gevoel van onthechting zich van de wandelaar meester. Autowegen en spoorlijnen zijn alom te zien, en toch lijkt het verkeer vreemd ver weg.

De tocht gaat vandaag bijna helemaal over voetpaden. Dikwijls lijkt een hek de voortgang te belemmeren maar wie te voet is stapt daar overheen. Vlak bij de hoeve Hofland gaat hij zelfs door de tuin van een dijkwoning, maar hij heeft nu eenmaal zijn 'recht van overpad' – wie doet hem wat? In Naarden maakt hij nog een rondje over de wallen en neemt dan de bus terug. Een passagier is zo vriendelijk hem uit te leggen dat deze de route volgt van een trammetje dat de Gooise Moordenaar genoemd werd.

ROUTEBESCHRIJVING

Per bus (lijn 136) van Amstelstation naar halte Maxis. Tegelpad naar elektriciteitscentrale op (bord 'Eigen weg' negeren), eerste zandweg rechtsaf, door een hek en rechtsaf over dijk via hekken. Ten slotte met de bocht mee links om fort heen, rechtdoor Zeestraat, eerste straat links (Stadsteeg), rechtsaf en linksaf Sluisstraat. Over brug linksaf tot poorthuis Muiderslot.

Rechtsaf, voetpad over wal. Aan het eind links, Noordpolderweg, over de brug linksaf voetpad (bord 'Alleen voor leden' negeren), aan het eind rechtsaf zeedijk op en deze volgen tot voorbij sportvelden Muiderberg.

Dan linksaf voetpad, strandopgang kruisen naar voetpad over klifkust en Flevolaan. Na paviljoen Zeemeeuw linksaf voetpad langs kust, na haakse bocht in pad meteen linksaf, zijpaden negeren en op viaduct af, maar 50 meter daarvoor linksaf via paadje het bos in en op splitsing rechtsaf naar IJmeer.

Rechtsaf langs rietkraag, onder bruggen door en rechtdoor door groen toegangshek Naarderbos in. De weg volgen, aan het eind paadje rechtsaf en linksaf schelpenfietspad. Voorbij water linksaf schelpenvoetpad, tweede pad linksaf, verkeersweg over en over gras de vijver aan uw linkerhand houden. Na 300 meter rechtsaf fietspad, op splitsing rechtdoor paadje, na brug linksaf over gras, aan bosrand over hek linksaf de dijk op. Hekken over, weg over, dijkpad vervolgen. Aan het eind linksaf fietspad, en rechtsaf tot de vestingwal van Naarden.

Openbaar vervoer: Muiden, Muiderberg, Naarden.

Horeca: Muiden, Muiderberg, Naarden.

NB 1. De route volgt een deel van het rood-wit gemarkeerde Zuiderzeepad.

NB 2. In het voorjaar van 2003 wordt de Diemerzeedijk opengesteld. Dan kan men van de Schellingwouderbrug helemaal langs het IJsselmeer naar Muiden wandelen.

2
Verhitte runderen, glinsterende poelen

ROND HET NAARDERMEER (21 KM)

Vul de veldfles, neem proviand mee, steek de kijker bij u voor de vogelrijkdom en trek na regen laarzen aan want dan kan het er zompig zijn. Ga door de week; de wandelroute staat ook in een folder van NS en op zondag is het er bij mooi weer dus druk.

Het Naardermeer: de trein rijdt er dwars doorheen en nooit verzuimt de wandelaar uit het raampje te kijken naar de spiegelende watervlakten, de moerasbossen, het wuivend riet. Zijn er reeën te zien? Vliegen de aalscholvers? Als u het van dichtbij wilt bekijken is een excursie per roeiboot het best, maar een voettocht rond het meer doet daar weinig voor onder.

Amsterdamse studenten ontwierpen het traject, de vereniging Natuurmonumenten zette er wegwijzers bij. Het is per slot van rekening het eerste natuurmonument, op initiatief van Jac. P. Thijsse gered uit de klauwen van de gemeente Amsterdam die het wilde volplempen met stadsvuil.

Het was eind augustus, de zon scheen op de grazige flanken van een oud fort, verhitte oerossige runderen baadden zich in een sloot, de wandelaar leste zijn dorst met rijpe bramen. Het

21

veendijkje slingerde zich door het drassige weideland tussen glinsterende poelen vol watermunt en zwanebloem. Onder het struikgewas de bloempjes van klein springzaad, 'onstandvastige nieuwkomers'. De molen van Ankeveen.

Boven op een bunker was het uitzicht weids, vanuit de observatiehutten spiedde men beschut over het water naar de eenden. De tocht was warm en lang, maar een wonder. De A1 was soms vlakbij, de televisietoren van Hilversum vaak in zicht en toch liep de wandelaar urenlang door een domein van wat wel ongerepte natuur leek.

ROUTEBESCHRIJVING

Naar Naarden-Bussum NS. Station uit, links Albrechtlaan in, Comeniuslaan oversteken, Julianalaan in en linksaf Van Hasseltlaan. Na nr 46 linksaf voetpad, aan het eind linksaf, rechtsaf Kon. Wilhelminalaan, voor torenflat links Graaf Willem de Oudelaan. Over brug rechtdoor tot parkeerplaats*, linksaf Meerkade. Deze lang volgen**. Achter gemaal De Machine door klaphekje graspad op, aan het eind brugje over, op weg linksaf.

Op splitsing rechtdoor via De Visserij.

Voordat het weggetje een asfaltweg bereikt links door hekje en rechts dijkje op. Bij verharde weg rechts, met bocht naar spoor, bij spoorlijn rechts, spoor over, dan links brugje over. Dit pad volgen, op splitsing linksaf, op volgende splitsing** rechtsaf. Over brugje naar fietspad, links en helemaal doorlopen over weg tot pad linksaf naar bosrand. Daar rechts** en via twee hekken en drie brugjes naar plankier door moerasbos. Aan het eind linksaf brugje over, door twee hekken naar fietspad en linksaf.

Rechts de brug over, linksaf park in. Links aanhouden, omhoog en dan naar rechts, om woonwijk heen tot school. Linksaf spoor over, meteen rechtsaf en rechts via pad naar station.

Openbaar vervoer: onderweg geen, maar wie vermoeid raakt kan over de spoorlijn rechtdoor gaan naar de bushalte bij fort Uitermeer.

Horeca: alleen in Bussum, onderweg geen!!

NB 1. Dit is een rondwandeling en kan dus bij wijze van uitzondering ook gemaakt worden met gebruikmaking van de auto. Voor wie deze parkeert bij * bedraagt de afstand 17 kilometer.
NB 2. Door bij ** even van de route af te wijken bereikt men observatiepunten die een goed uitzicht bieden op het Naardermeer.

3
Het paradijs van de wandelaar

BUSSUM-ZUID − NEDERHORST-DEN-BERG (15 KM)

Over de Bussumse hei gaat het naar de Fransche Kamp, waar vroeger Amsterdamse arbeiders kampeerden en de liederen van Jan Pierewiet klonken. Dan door de buitenplaatsen Bantam en Schaep en Burgh: de voornaamheid van landadel. Elegante bruggetjes over stille beken, stoere Lakenvelders – 'traditioneel parkvee', leert de wandelaar – grazen in zonnige weiden omzoomd door coulissen van beuken. Nu houdt Natuurmonumenten kantoor in Schaep en Burgh.

Het laagveenland in, met het torentje van Ankeveen boven de wilgen. En daarna dwars door de plassen! Dit is het paradijs van de wandelaar, een oud turfgraverspad tussen het riet, 'Rijwielen verboden'. Het is zaterdag, volop zomer en vakantie, maar de wandelaar ontmoet hier geen sterveling. Alleen klinkt soms over het water een ver gejoel uit een zeilboot die onzichtbaar blijft.

Waterlelies en wilgenroosjes bloeien erop los en de bramen hebben een goed jaar. Op een boomstronk laat een aalscholver zijn vleugels drogen, wapperend in de wind. In het weiland zitten hazen elkaar na. Later zijn er strandjes langs de plas en spelende kinderen. Bij een boerderij wordt struisvogelvlees aangeboden. De wandelaar neemt nog een kijkje bij het lustslot te Nederhorst, maar verder dan het voorplein komt hij niet. Ach, het is mooi geweest voor vandaag.

ROUTEBESCHRIJVING

Naar Bussum-Zuid NS. Station aan voorzijde verlaten en naar links over parkeerplaats naar wegwijzer 9027/2, oversteken naar fietspad en dit volgen, zijpaden negeren tot vorksplitsing, hier rechts voetpad op, op volgende kruising links naar verkeersweg. Deze oversteken, camping op, halverwege parkeerplaats linksaf voetpad, aan het eind linksaf fietspad, eerste voetpad rechtsaf, op fietspad weer rechtsaf tot paddestoel P-20037/001. Rechtsaf. Bij P-21077 linksaf. Aan het eind rechts door hek (Bantam).

Meteen linksaf, over het tweede brugje rechtsaf, voorbij vijver linksaf, hek volgen, over brug rechtdoor, eerste pad links, aan het eind rechtsaf* naar Schaep en Burgh. Rechts om het huis heen, links poort door, rechtsaf door hek, op fietspad rechts tot wegwijzer 244/5. Oversteken, links over brug, bij bord 'Ankeveen' rechtdoor en helemaal doorlopen tot in dit dorp.

Linksaf (Stichts End), meteen rechtsaf (Dammerkade), door hekje naar graspad. Dit lang volgen. Na dubbel hekje linksaf door hekje, aan het eind rechtdoor over fietspad. Dit helemaal volgen (rechts ernaast loopt later een stillere zandweg!) tot bij begin bebouwing Nederhorst. Over brugje rechts voetpad langs water, op kruising rechtsaf schelpenpad, op vijfsprong linksaf en op Overmeerseweg links naar bushalte.

Openbaar vervoer: in Bussum-Zuid, 's-Graveland, Ankeveen en Nederhorst-den-Berg.

Horeca: in 's-Graveland (buiten de route), Ankeveen (dito) en Nederhorst-den-Berg (voorbij de bushalte).

NB. Tot * kunt u de rood-witte markering van het Graaf Floris v-pad volgen.

4
Een deftige ooievaar, drijvend land

HOLLANDSCHE RADING – BREUKELEN (19 KM)

Zonnevlekken op varens en donkergroen mos, vlakbij wiekt een buizerd op uit een eik. Midden in de Randstad maakt de Hoorneboegse heide een verlaten indruk. Een akker ligt omzoomd door bos, een landgoed heet Einde Gooi, zandgrond gaat over in veen. Het is bijna stil, op het gezang van vogels na, en het gebrom van vliegtuigjes die opstijgen van het vliegveldje Hilversum, een eldorado voor amateurpiloten.

De wandelaar kijkt uit over het trilveen, drijvend land, door Natuurmonumenten in oude staat herschapen. In het Tienhovensch Kanaal, ooit een verkeersader voor turfschippers, groeien de waterlelies. De oevers zijn vol klaprozen, distels en berenklauw.

Aan de nevelige horizon staat de Dom van Utrecht, dichterbij het torentje van Kortenhoef.

In Tienhoven heerst altijd zondagsrust. Door de ruige weiden voert een rade westwaarts. De wandelaar staat op zijn recht van overpad en klimt de hekken over. Bij zijn nadering raken koeien in paniek, sommige maken zich door de sloot uit de voeten. Maar de pony's en hun wollige veulens grazen onverstoorbaar door.

Over de plas zeilt een botter met zware bruine zeilen, een ooievaar schrijdt deftig over het fietspad, vliegt dan op en zet zich op zijn nest – een ouderwets plaatje. Voorbij het dromerige fort Tienhoven voert een lieflijk paadje naar het sprookjesslot Nijenrode, vandaar gaat de tocht langs de Vecht naar een terras op de kerkbrink van Breukelen.

ROUTEBESCHRIJVING

Vanaf Hollandsche Rading NS bospad tegenover rijwielshop (bij hekje rechtsom) volgen tot verharde weg. Linksaf fietspad, verkeersweg oversteken, fietspad volgen met bocht naar rechts tot kruising met ander fietspad, dit scherp linksaf volgen tot gebouwtje met puntdak. Rechtsaf, Noodweg oversteken, rechtdoor* en aan het eind rechtsaf Graaf Floris v-pad.

Op kruising rechtdoor langs kanaal, aan het eind door hekje en nu helemaal door tot Dwarsdijk. Hier linksaf, bij molen rechtdoor, in Tienhoven linksaf en meteen rechtsaf over landweg.

Aan het eind rechtsaf en weer aan het eind rechtdoor weg over, bruggetje over en meteen linksaf graspad. Volgende brugje over, rechtsaf fietspad, aan het eind rechtdoor Nieuwe Weg, deze via fietspad volgen tot Fort Tienhoven.

Nu rechtsaf brug over, eerste pad rechtsaf, na hoeve brugje over, linksaf bospad. Dit ongeveer 1 km volgen. Op Vechtoever rechtsaf, linksaf over ophaalbrug, rechtdoor en bij kerk linksaf. Over brug rechtsaf, langs kanaal, onder brug door linksaf en weer linksaf brug over, linksaf voetpad en rechtdoor naar Breukelen NS.

Openbaar vervoer: Hollandsche Rading, Tienhoven, Breukelen.

Horeca: Tienhoven (ma. gesloten), Breukeleveen (paviljoen aan plas), Breukelen.

NB. Vanaf * volgt de wandeling het rood-wit gemarkeerde traject van het Graaf Floris v-pad.

5
Zwoegende schepen, hooiende boeren

DIEMEN – ABCOUDE (18,5 KM)

De route begint bij een uitgestrekte joodse begraafplaats. De kilometers langs het kaarsrechte Amsterdam-Rijnkanaal kunnen taai zijn, maar meestal is er genoeg te zien. De Partizan uit Zwartsluis, de Starum uit Stavoren en de Martine uit Zwolle zwoegen met hun vrachten door het woelige water.

De wandelaar komt in Overdiemen, een landelijke enclave ingeklemd tussen snelwegen en woonwijken, en daarna het 'neuromantische park' aan de zelfkant van de Bijlmermeer, met zijn Engels aandoende landschap van weiden en bossen tussen de torenflats en de verkeersweg langs de Gaasp. Boeren zijn er aan het hooien en in de zonnegloed verwaait stuifmeel over het grasland.

Door stille, geheimzinnig beschaduwde lanen, omgeven door donker struikgewas wordt een vlonder aan de Gaasperplas bereikt waarop iemand een zonnig terrasje exploiteert en gesterkt kan men aan het klassieke slot van de tocht beginnen: over de oever van het Gein waar Nescio zeventig jaar geleden al wandelde. Het riviertje tussen het riet, de hoeven met namen als Geinlust, Geinrust en Geingenoegen: het kan lijken of er sedertdien niets veranderde, als je de Bijlmer, de Arena en de lama's in de wei wegdenkt.

Naar Diemen NS. Langs begraafplaats Ouddiemerlaan in, deze (onder twee viaducten door, rechtdoor) volgen tot kanaal*,
hier rechtsaf en na 2 kilometer voorbij een brug rechtsaf Over-
diemerweg. Fietspad links negeren, volgend fietspad rechtsaf
onder snelweg en spoorlijn door. Op T-kruising rechtdoor
schelpenpad, over brugje, pad langs riet volgen, aan het eind
linksaf fietspad en rechtsaf over de Muiderstraatweg.

Bij wegwijzer 282/4 rechtsaf fietspad, over brug linksaf en 100
meter verder oversteken naar wegwijzer 1730/7. Linksaf, dan
bij wegwijzer 12258/1 rechtsaf en meteen linksaf. Dit pad volgen (op de eerste vorksplitsing rechts, op de volgende links
aanhouden) tot splitsing na brug. Linksaf tot klinkerweg. Hier
rechtsaf en op kruising tussen huizen linksaf voetpad. Onder
twee viaducten door, pad volgen tot voor vijver, dan rechtsaf.
Dit pad volgen tot klinkerpleintje met blokken, rechtsaf, aan
het eind in plantsoen bij kunstwerk linksaf over grijs asfalt**.

Op splitsing linksaf. Dit voetpad steeds volgen, over een brug
en aan het eind rechtsaf over een brug rechtdoor voetpad op.
Tweede pad rechtsaf, fietspad kruisen, voor de plas linksaf brug
over en bij informatiebord rechtsaf betonweg (Driemond-
weg)***. Deze met een bocht naar rechts en naar links, om het
pompstation heen, steeds blijven volgen tot T-kruising met
fietspad. Hier linksaf en op de weg langs het Gein rechtsaf. Na
spoorwegovergang linksaf over het water naar Abcoude NS.

Openbaar vervoer: Diemen, Muiderstraatweg, Gaasperplas (bij **
rechtdoor naar metrostation), Driemond, Abcoude.

Horeca: Overdiemen (Oude Veerhuys), Gaasperplas (terras, 's zomers), Driemond (buiten de route, snackbar), Abcoude.

NB. Van * tot *** kunt u eventueel de rood-gele markering van de
Amsterdamse Ommegang volgen.

6
Veel waterlelies en ophaalbrugjes

ABCOUDE – NES A/D AMSTEL (15 KM)

Dit is de uitzondering die de regel bevestigt: al deze routes zijn zo ontworpen dat de wandelaar in ieder geval voor een gedeelte over uitsluitend voetpad gaat – anders zou je net zo goed kunnen fietsen, al zie je dan minder. Op dit riviertjestraject langs het Gein, de Angstel, de Winkel en de Waver heeft hij echter steeds asfalt onder de zolen en hij deelt het met fietsers, automobilisten en boeren op tractoren. Het geeft niets: gemotoriseerd verkeer is zeer schaars hier. Veel reigers, waterlelies en ophaalbrugjes.

Eerst Abcoude in, nog altijd een stadhuis-op-stelten-stadje. Zie het fraaie tuinkoepeltje aan de waterkant. Dan door een woonwijk. Tel de houten ganzen achter de vensters en de ploegende boeren boven de voordeuren. Daarna het wijde, zompige veengebied onder Amsterdam in, meer water dan land.

Op een eilandje staat de hoeve Abcoudezicht. De megalomane Arena is schijnbaar vlakbij, maar rondom ligt het platteland wonderlijk stil – alleen een tractor pruttelt door de weiden. Naast de snelweg rent een haas door het gras.

De boerderijen heten Vredelust en Regtlust en Jonge Linde. Links liggen de natte ruigten van de Botshol. Achter hoog riet tuffen – de bezitters landerig aan dek – plezierjachten voort, te grandioos voor de waterloopjes die boven het omringende land liggen. Moeders zitten in het gras met hun kinderen en thermoskannen teneinde de bruggetjes te openen en het bruggeld te innen.

Het gehucht Waver maakt zich op voor de jaarlijkse (tweede zaterdag in augustus) kortebaandraverijen. Door het meanderen van het riviertje verheft de toren van Nes – te machtig voor zo'n nietig dorp – zich nu eens recht vooruit, dan weer pal rechts.

Je kunt het vandaag ook de fortenroute noemen. Het traject begint in de nabijheid van het voormalige fort Abcoude (nu werkplaats voor hangjongeren) en voert langs de forten aan de Winkel (nu camping) en de Botshol (waarvan alleen nog grazige heuvels te zien zijn) tot voorbij het fort Waver-Amstel (nu wijnkelders). Daar steken we met het pontje de woelige Amstel over en lopen – kijk uit: links van de weg! – naar het terras van de Vergulde Zon.

ROUTEBESCHRIJVING

Naar Abcoude NS. Links Stationsstraat in, linksaf Hoogstraat, brug over en meteen rechtsaf Voordijk. Voorbij volgende brug links en meteen weer links (Holendrecht), rechtsaf Torenlaan, linksaf Baarslagstraat, rechts en meteen links Waardsackerstraat. Linksaf fietspad op, bij stoplicht oversteken, linksaf Van

Troostwijkstraat, tweede straat rechts (Koppeldijk) en deze (later Winkeldijk) blijven volgen tot wegwijzer 5100/1.

Hier rechts, het tunneltje onder de A2 door en de Winkeldijk verder volgen (naar links). Na enige kilometers bij huisjes links (Stokkelaarsbrug) met rode brievenbus* links brug over, rechts naar Botshol en aan deze kant van de Waver blijven lopen, helemaal door het gelijknamige dorp heen** tot de Amstel. Nu rechts naar pontje, oversteken, aan de overkant rechts naar Nes.

Openbaar vervoer: in Abcoude, bij pontje Nessersluis en in Nes. (op de laatste punten eens per uur, in het weekeinde minder en alleen op bestelling: 020-4605299).

Horeca: in Abcoude, Stokkelaarsbrug (kiosk met terras, bij ** even rechtdoor) en Nes.

NB 1. Geharde wandelaars kunnen zich problemen met het openbaar vervoer besparen door enige kilometers voorbij het dorp Waver de brug over te gaan en dan linksaf door te lopen naar Ouderkerk, waar men meer bussen vindt. De tocht wordt dan 22 kilometer.

NB 2. De wandeling valt tot ** samen met de Amsterdamse Ommegang, maar de rood-gele markering daarvan vertoont hiaten.

7
Oude stations, de roep van de grutto

AMSTELVEEN – UITHOORN – AMSTELVEEN (13,5 KM)

Op de radio werd gezegd dat het 'Hollands weer' zou worden en zo is het: half bewolkt en een lichte bries; als de zon doorbreekt wordt het gras van een stralend groen. Al spoedig bereikt de wandelaar het vroegere station van Amstelveen en volgt dan geruime tijd het tracé van de oude spoorlijn van Amsterdam naar Uithoorn: in onbruik geraakte stationnetjes, verroeste rails, afgedankte wagons en een voormalig baanwachtershuis.

In de zelfkant van de stadsagglomeratie gaat het door parken en langs poelen, maneges, sportvelden, loodsen, padvindershonken. Ook strekken zich daar de steppen van het nieuwe wonen uit. De schrijver Belcampo wordt er met een plantsoen, de acteur Ko van Dijk met een laan geëerd: proficiat.

Maar daaraan voorbij begint het platteland, waar de duinroos en de braamstruik bloeien. Een tractor sproeit gier over de weiden, bij kwekerijen staan bordjes met 'No work' – illegalen kunnen hun hoop op arbeid laten varen.

Het spoor liep voorheen met een wijde boog oostwaarts Uithoorn in en zo loopt de wandelaar nu ook, zonder zich veel van het dorp te hoeven aantrekken: de route voert door groen-

41

stroken en een natuurgebiedje waar Dorsets grazen – 'Rustige koeien' meldt een plakkaat geruststellend.

Op de dijk van de Bovenkerkerpolder ziet men het silhouet van Groot-Amsterdam alweer voor zich, met de Rembrandt-toren en de verkeerstoren van Schiphol boven alles uit. Maar voordat de wandelaar terug is in Amstelveen doorkruist hij nog een grootse weidsheid, waarin de roep van de grutto zich vermengt met het geraas van opstijgende vliegtuigen. Licht, lucht en ruimte heersen hier. 'Vrijheid, blijheid' staat er op een eenzame woning.

Het is zaak de wandeling gauw te maken, want wat nu wandelpad is wordt over enige jaren – als de sneltram van Amstelveen wordt doorgetrokken naar Uithoorn – weer spoor.

ROUTEBESCHRIJVING

Per bus (o.a. 170, 171, 172) naar Amstelveen, busstation. Vandaar het viaduct van de A2 onderdoor, bij stoplichten rechts aan de overzijde van het water (Bovenkerkerkade). Rechts over brug, linksaf, spoor over*, linksaf over fietspad. Handweg oversteken, rechtdoor en bij handwijzer linksaf. Dit voetpad volgen, op T-kruising links, in laan links en dan rechtsaf fietspad langs spoor. Dit met een slinger volgen naar de Hammarskjöldlaan.

Nu lang rechtdoor blijven gaan. Over de Loethoelilaan rechtdoor de Augusta de Witlaan in en in de Anna Blamanstraat linksaf voetpad, meteen rechtsaf en aan het einde linksaf. Dan meteen rechts en weer links: Van Hattumweg. Na de kas rechtsaf voetpad.

Dit volgen. Randweg over, rechtdoor langs wit huis en door hekje. Fietspad oversteken en met een bocht naar links tot Gulf-station. Linksaf en bij stoplicht oversteken. Rechtdoor voetpad volgen, over de Ariënslaan**, aan het eind linksaf, eerste weg rechts en meteen linksaf voetpad. Weg oversteken, rechtsaf door hekje voetpad volgen tot T-kruising, linksaf fietspad.

Na ingang kinderboerderij rechtsaf, eerste pad rechtsaf en door hek over parkeerplaats naar de dijk. Hier rechtsaf en eerste weg linksaf (Middenweg). Nu almaar rechtdoor tot in het begin van Amstelveen, daar rechts naar eindhalte van bus 66.

Openbaar vervoer: Amstelveen, Uithoorn (busstation bij **).

Horeca: Amstelveen, Uithoorn (busstation, bij **).

NB 1. Een variant: neem op het Haarlemmermeerstation in Amsterdam de museumtram (april-oktober 's zondags, juli-augustus ook 's woensdags) naar station Amstelveen en volg de route vanaf *.

NB 2. Vanaf * volgt de beschrijving het Polderspoorpad van de stichting Glas & Land in Aalsmeer, gemarkeerd met handwijzers en rood-gele schildjes.

8
Melancholieke pauwen en meeneem-goaltjes

AMSTERDAM – BOVENKERK (11 KM)

Varen is een leuke onderbreking van de wandeltocht maar het pontje over het Nieuwe Meer vaart helaas zelden, zodat deze wandeling alleen geschikt is voor weekeinden buiten de winter.

Jammer, juist op werkdagen is het zo weldadig rustig in het Amsterdamse Bos, hoewel het er nooit erg druk wordt, vooral niet in het deel ten zuiden van de A9. Daar is ook, aan de voet van het hoofdkwartier van de KLM, een moerassig wildernisje aangelegd, een oase van riet en waterplanten in de stadsrand.

Ja, dit is een wandeling door stadsnatuur. Eerst gaat het langs woonboten en onlandjes, dan tussen de bossen op de Oeverlanden en de golvende Nieuwe Meer door, waarachter de rijen populieren en de bosrand van het Amsterdamse Bos te zien zijn. Boven u dalen en stijgen regelmatig de luchtschepen naar en van hun haven op Schiphol: veel herrie, maar ook een fascinerend gezicht.

Het melancholieke gekrijs van pauwen en de geur van pannenkoeken kondigt de boerderij Meerzicht aan. De Bosbaan kabbelt twee kilometer lang aan uw linkerhand. Op de weiden picknicken Turkse gezinnen, Amsterdamse mannen schoppen voetballen in meeneem-goaltjes, Japanse mannen honkballen.

Maar allengs wordt het stiller. Af en toe hoort de wandelaar achter zich het ritme van joggingschoenen op het pad, maar verder is het: geboomte, riet, water, weiden. En te gauw al is daar de ranke toren van Bovenkerk, de bushalte, de terugreis.

ROUTEBESCHRIJVING

Vanaf Hoofddorpplein (met tram: lijn 2) de Hoofddorpweg, voor brug rechtsaf Sloterkade. Nu lang het water links houden via voetpad langs woonboten, een brug over, langs sluis en onder viaducten door. Dit pad langs Oeverlanden met bochten mee steeds volgen tot zijweg naar jachthaven Onklaar Anker. Hier voorbij linksaf fietspad, op kruising links aanhouden en verderop links naar steiger veerbootje (zie NB 2).

Oversteken, aan de overkant rechtdoor, op kruising bij boerderij Meerzicht schuin rechtsaf voetpad, dit (op splitsingen rechts aanhoudend) blijven volgen tot oversteekplaats met rood-witte paaltjes. Linksaf, na brug rechts fietspad aanhouden, dit volgen over weide, bij paddestoel 18 rechtdoor voetpad, dan derde pad links naar brug, deze over, meteen links, weer over brug en bij kruising van paden rechtsaf over wei. Op fietspad rechtsaf, bij paddestoel 14 linksaf brug over, meteen weer links, een pad kruisen en rechtdoor over wei.

Aan het eind rechts en langs paddestoel 13*** naar witte brug. Deze over, onder viaduct door, bij paddestoel 27 links brug over, meteen weer links, aan het eind rechts, bij bank even links en rechts De Poel in. Voetpad door dit natuurreservaat volgen, aan het eind linksaf voetpad****, bij woning linksaf naar Bovenkerk.

Openbaar vervoer: Amsterdam, Bovenkerk, onderweg geen.

Horeca: Meerzicht, Amsterdamse Bos.

NB 1. Van paddestoel 13 * tot vlak voor Bovenkerk bij **** kan men de rood-witte markering volgen van het Pelgrimspad.

NB 2. Het pontje over de Nieuwe Meer vaart alleen van april t/m oktober op zondag, in juli en augustus ook op zaterdag na 13 uur.

9
Ruiters in galop, exotische bloemen

AMSTERDAM — AALSMEER (16 KM)

Eerst langs de rafelrand van de stad, kleine nijverheid, een vergeten begraafplaats en woonboten die Swaentje heten of Sea Breeze. De wind jaagt het water van de Nieuwe Meer onstuimig op.

Dan de royale grasvlakten en geheimzinnig donkere waterpartijen van het Amsterdamse Bos. Hoog opschietende vlierstruiken en brandnetels. Ruiters in galop door de lanen.

Over de stille dijk van de ringvaart, links de Schinkelpolder met zijn boerderijen en maneges, rechts de verkeerstoren en enorme fabriekshallen van Schiphol. 'Betrouwbaar KLM' staat er op. In de berm een haas, boven de wandelaar een luchtreus.

Langs de korenmolen De Zwarte Ruiter, langs een 'oud-bisschoppelijke clerezije' Aalsmeer in. Even de tanden op elkaar waar het traject door lintbebouwing leidt, maar dan gaat het ten slotte over een grindweg door de tuinderijen. Kassen met oude schoorstenen, perken vol exotische bloemen, vaarten, vlonders. Dichtbij doemt zowaar de grootste bloemenveiling ter wereld op.

Naar Hoofddorpplein (o.a. lijn 2), Hoofddorpweg in, voor brug rechtsaf Sloterkade, voor kantoorflat linksaf voetpad, water links houden tot sluis, deze linksaf over. Weg volgen tot wegwijzer, rechtsaf Jachthavenweg, onder viaducten door, over ophaalbrug, op T-kruising links en over brug rechts. Rechts aanhoudend voorbij scheepswerf Anno 1919, links aanhoudend langs tennisbanen, op T-kruising rechts en na parkeerplaats links naar rotonde*. Rechtdoor langs informatiebord, eerste voetpad linksaf, aan het eind linksaf, weg oversteken en pad vervolgen tot asfaltweg, rechtsaf en bij paddestoel 43** rechts over brug. Eerste voetpad linksaf, op T-kruising links, op splitsing rechts naar De Heuvel.

Links trap af, tweede pad linksaf, dit volgen over brugje, bij paddestoel 11 rechtdoor over brug, meteen rechtsaf, tweede pad linksaf langs banken, voor ruiterpad rechtsaf en doorlopen naar viaduct onder snelweg. Dit onderdoor, linksaf over brug, meteen weer linksaf, aan het eind rechtsaf, bij bank even links en dan rechts De Poel in.

Eerste voetpad linksaf, aan het eind rechtdoor fietspad***, bij paddestoel 26 rechtsaf, voor water rechtsaf, dan linksaf, over brug linksaf door klaphek, op kruising rechtdoor, pad volgen tot informatiebord, linksaf, doorlopen tot verkeersweg. Oversteken, Takkade op. Deze (later fietspad) volgen tot Oosteinderweg. Rechtsaf en na 1 kilometer, na huis nr 254, linksaf en meteen rechtsaf. Aan het eind linksaf naar bushalte.

Openbaar vervoer: Amsterdamse Bos (bij * even linksaf), Bovenkerk (bij ***linksaf), Aalsmeer.

Horeca: Manege Amsterdamse Bos (bij ** even rechtdoor).

NB. Vanaf de Sloterkade valt de route samen met het rood-wit gemarkeerde Pelgrimspad.

10
Een idyllisch fort, bloeiend bitterzoet

DE KWAKEL – AARLANDERVEEN (16 KM)

Het fort van De Kwakel ligt er vandaag, verscholen in het groen, omsloten door zijn grachten, idyllisch bij. De wandelaar verlaat de Stelling van Amsterdam om zuidwaarts over de oever van het Amstel-Drecht-kanaal te gaan langs de hoeven De Lucht en De Leeuwe en de 'moordenaarsmolen' waar de Spanjool zo lelijk moet hebben huisgehouden.

Het is een zomerdag. Zwanenbloemen, moerasandoorn en bitterzoet bloeien. De lucht lijkt hoog. Een bries strijkt over de polders en waterhoentjes zitten op hun nest midden in sloten die, onwerkelijk blauw, de witte wolken weerspiegelen. In het riet zitten vissers, op het water deinen pieremachochels en pompeuze jachten. In de oude sluis is het een heel gedoe. Bij het oude tolhuis pauzeren mannen in wielerkledij.

Een stille landweg voert dwars door de weiden op Papenveer aan. Holland lijkt eindeloos. De wandelaar klautert over hekjes, kruipt onder schrikdraad door. Over het gras zijn schelpen uitgestrooid, het parelmoer glinstert in de zon.

In de verte lonkt de kerktoren van Aarlanderveen. Jongens op klompen werpen hun hengel uit: 'Er zitten best wel brasems hier!' Dan luiden de klokken en gaat een stoet op zijn paasbest ter kerke voor een huwelijksinzegening. De wandelaar zijgt neer op het terras van het Oude Rechthuis waar de tafels vol lege glazen staan: de bruiloftsgasten namen eerst een pilsje.

ROUTEBESCHRIJVING

Per bus (147) naar De Kwakel, halte RK kerk. Naar kerk lopen, linksaf Kwakelsepad, bij wegwijzer linksaf fietspad langs sloot, over brug bij fort meteen linksaf grindpad, brugje over, rechtsaf Drechtdijk. Deze volgen tot voor klapbrug, rechtsaf doodlopende weg tot overhaal, linksaf smal pad, dit almaar volgen tot Tolhuissluis, met bocht naar rechts tot Bilderdam.

In Bilderdam links brug over, na 50 meter linksaf doodlopende weg, deze volgen tot brug. Deze linksaf over, Nieuwveen in. Na gebouw 'Ons Belang' rechtsaf, over brugje rechtsaf Hogendijk. Deze (later onverhard) volgen, op T-kruising linksaf, aan het eind linksaf weg oversteken. Door hekje en over hekken (let op: schrikdraad!) het dijkje volgen, later verhard. Nu 5 kilometer het water aan de rechterhand houden tot bord 'Doorgaand verkeer' bij verkeersweg. Rechtsaf, oversteken naar bushalte.

Openbaar vervoer: De Kwakel, Nieuwveen, Papenveer, Ter Aar, Aarlanderveen.

Horeca: De Kwakel, Tolhuissluis (aan overzijde van het water), Aarlanderveen.

NB 1. Doorzetters gaan voorbij de bushalte linksaf Aarlanderveen in, rechtsaf Stationsweg en rechtdoor, later over een prachtig voetpad door de weiden, naar de Oude Rijn. Daar rechtsaf over jaagpad naar Alphen aan de Rijn NS (met o.a. rechtstreekse bus naar Amsterdam). De afstand bedraagt dan 23 kilometer.

NB 2. De route volgt het roodwit gemarkeerde Pelgrimspad.

11
Lelietjes-der-dalen, beschuit met muisjes

ZANDVOORT — HEEMSTEDE (15 KM)

In grasvlakten, overschaduwd door oude eiken en beuken, ziet de wandelaar nog de herinnering aan weiden en akkers waarop keuterboeren een karig bestaan vonden voordat hun domein in beslag genomen werd teneinde de dorst van de stedeling te lessen. Want dit zijn de Waterleidingduinen, waar de stadsmens ten slotte ook een fraai gebied voor zijn wandelingen vond.

Aan de binnenkant van de duinen is het geboomte knoestig en het struikgewas stug. Konijnen scharrelen in het zand. Er zijn uitspanningen zonder veel pretenties; de uitbater is net vader geworden en trakteert alle klanten op beschuit met muisjes.

Langs het adellijke huize Vogelenzang verlaat de wandelaar het duinterrein om de geestgronden op te gaan. Op de landgoederen koeren houtduiven in rode beuken, lelietjes-der-dalen staan tussen de rododendrons. Een eekhoorn snelt tegen de stam van een spar op en kijkt de voorbijganger nieuwsgierig aan. Er is een oud koetshuis, een belvédère en zelfs een vroegere renbaan, waar het achtkantig fundament van het totalisatorhuisje nog te zien is.

Door de bollenvelden die er in de zomer kaaltjes bij liggen snelt een gele trein. Het station is niet ver meer.

ROUTEBESCHRIJVING

Per bus (lijn 80) naar Zandvoort, halte Nieuw-Unicum. Oversteken, Waterleidingduinen in*, rechtdoor over brug, bij paddestoel 21557 linksaf, na 600 meter op driesprong linksaf, dit pad volgen via eerst geel-groene en na viersprong groene paaltjes tot T-kruising bij paaltje 24H-382. Linksaf, na 50 meter rechtsaf smal pad, dit rechtdoor volgen tot breder pad, linksaf tot asfaltpad, rechtsaf, op splitsing rechtsaf**.

Na 100 meter linksaf zandpaadje, met bocht naar rechts volgen tot asfaltweg. Linksaf, op T-kruising bij paddestoel 21422 rechtsaf, na 40 meter linksaf zandpad, meteen rechtsaf en dit slingerend pad volgen tot breder pad. Rechtsaf tot klinkerweg, linksaf, na 50 meter rechtsaf tot kanaal. Oversteken en rechtdoor, rechts aanhouden, ruiterpad oversteken en doorgaan naar asfaltweg. Linksaf door uitgangshek en langs koffiehuis Panneland weg met bochten vervolgen tot Bekslaan. Linksaf, op verkeersweg linksaf fietspad. Na Rusthoek rechtsaf asfaltweg (Oud-Woestduin).

Meteen linksaf voetpad, eerste pad rechtsaf, op splitsing rechts, asfaltweg oversteken, na bocht naar links grasveld over en op asfaltweg rechtsaf. Op klinkerweg linksaf, op kruising linksaf voor huize Leyduin langs. Bij huizen links aanhouden, op kruising linksaf zandweg, om belvédère heen en bij bank scherp rechtsaf, over brugje, op kruising links en linksaf naar uitgang.

Rechtsaf fietspad langs Vogelenzangseweg volgen, een weg (naar waterleidingbedrijf) kruisen, na bord 'Aerdenhout' rechts aanhouden (Boekenrodeweg) en eerste weg rechtsaf (bij spiegels). Nu links aanhouden. Brug en spoor over, linksaf fietspad naar Heemstede-Aerdenhout NS.

Openbaar vervoer: Zandvoort, Vogelezangseweg, Heemstede.

Horeca: Nieuw-Unicum, De Oase (bij ** even links), Panneland, Rusthoek, Heemstede.

NB 1. * Entree tot Waterleidingduinen (f 2,50 p.p.) betalen via muntautomaat.

NB 2. ** Op dit punt linksaf gaande vindt u, behalve een uitspanning, het leerzame bezoekerscentrum De Oranjekom.

12
Slanke paarden, hoge kranen

AMSTERDAM — RUIGOORD (15 KM)

Het pad van de wandelaar gaat niet altijd over rozen. Er zijn, dicht bij de stad, industrieterreinen te doorkruisen en verkeerswegen over te steken; ditmaal voert de route zelfs dwars door een spoorstation. Maar dit alles is wel toepasselijk, want op het program staat een bedevaart naar het dorpje Ruigoord dat ten prooi viel aan de oprukkende stad.

'Natuur is leuk' meldt een informatiebord in het park. In de groene zoom van de stad is in ieder geval genoeg te zien: treinen, afgedankte gashouders, weelderige volkstuinen en schooltuinen voor 'milieuonderwijs', olie-opslagtanks en dan het oude Sloterdijk, ingekapseld door de Teleport. Maar ook klaprozen en koekoeksbloemen, spirea, reigers en buizerds. En er is genoeg te horen: crossmotoren en jumbojets, zanglijsters en zwaluwen.

Op puin en slib zijn de ruigten van de Bretten opgebloeid. Het wilgenroosje tiert er welig en de berenklauw schiet zo florissant hoog op dat ze bezorgde burgers wel weer angst zal aanjagen: een giftige plant! Ja, als je 'm opeet.

Dan gaat de wandelaar over lommerrijke lanen en grazige paden het recreatiegebied Spaarnwoude door. Kwieke bejaarden met golfclubs komen in zicht en daarna slanke paarden tegen een decor van hoge kranen in de nieuwe Amsterdamse havens.

'Think globally, act locally' staat langs de weg bij Ruigoord. Het hield dertig jaar stand tegen de vooruitgang, een Mekkaatje van krakers, grensverleggers en geestverruimers. En nog is het een kleine oase van levenskunst, ingesloten door industrie en grootscheeps transport. In de schaduw onder het kerktorentje staat een beeldhouwwerk: *Tijdcapsule.*

ROUTEBESCHRIJVING

Bus of tram naar Haarlemmerplein, brug naast Haarlemmerpoort over, rechtsaf en oversteken naar Westerpark, linksaf voetpad langs water, voor gebouwen rechts, links aanhouden tot fietspad, linksaf en dit pad met bochten (eventueel via voetpad rechts) volgen tot voorbij Postbank. Bij bord 'Natuurpad' rechtsaf, weg oversteken en linksaf langs spoor naar Sloterdijk NS.

Onderdoorgang door, trap op en doorlopen naar gebouw FNV. Linksaf Barajaskade, aan het eind rechtsaf Fornebukade, op viersprong bij grote bal schuin rechtsaf voetpad, rechts langs clubhuis, daarna linksaf en weer linksaf en na parkeerplaats rechtsaf Seineweg over, linksaf fietspad, meteen rechtsaf, op splitsing rechtsaf, rechtdoor onder viaduct door, linksaf en na volgend viaduct bij bord 'Brettenpad' linksaf. Dit pad volgen (eventueel via de moeilijk begaanbare voetpaden links), aan het eind linksaf grasdijk.

Op weg linksaf, bij bord 'Halfweg' rechtsaf fietspad, bij volgend bord* rechtsaf brug over. Fietspad volgen tot paddestoel 20161, rechtsaf fietspad, bij paddestoel 20070 linksaf fietspad, op volgende kruising rechtsaf, voorbij parkeerplaats rechts brug over, daarna voetpad rechts volgen en aan het eind bij huisje Zwaluw linksaf. Nu steeds rechtdoor, na brug op splitsing linksaf, kruising oversteken en via graspad naar brug. Deze over, meteen linksaf voetpad en bij paddestoel 24115 rechtsaf de Bauduinlaan in. Langs golflinks, voorbij huizen, linksaf via zandwal**, verkeersweg oversteken en rechtdoor Ruigoord in. Even rondkijken en terug naar bushalte aan de verkeersweg.

Openbaar vervoer: Sloterdijk, Halfweg, Ruigoord.

Horeca: Amsterdam, Sloterdijk NS, Halfweg (bij * linksaf).

NB ** Het kan zijn dat dit niet meer mogelijk is (laatste verkenning uitgevoerd: september 2001). Dan Bauduinlaan in en op verkeersweg linksaf naar Ruigoord. Dit rechtsaf in.

13
Ware lustoorden, een holle boom

HAARLEM – OVERVEEN (15 TOT MAX. 20 KM)

De landgoederen die in het Kennemerland tegen de landzijde van de duinen gevlijd liggen zijn ware lustoorden. Dat waren ze oorspronkelijk voor de rijke Amsterdamse kooplieden, die ze lieten aanleggen en er rentenierden. Dat zijn ze nu voor mensen uit de omgeving die er wandelen, de hond uitlaten, trimmen. In alle jaargetijden is het er mooi: op de steil golvende, zwaar beboste duinhellingen van Koningshof, in de valleien van Middenduin, langs de vijvers van Brouwerskolk, op het statige Elswout en het kleine Duinvliet, dat over de weiden heen uitziet op het kerkje van Overveen.

Eerst verkent de wandelaar de eeuwenoude binnenstad van Haarlem, met alle eigenaardigheden van dien. Dan gaat hij via een jaagpad naar de landgoederen en verkent ze stuk voor stuk, via routes naar zijn keuze: Elswout met zijn majesteitelijke huis, sierlijke oranjerie, waterpartijen, moswand en het prieeltje, Koningshof met zijn robuuste stenen landhuis. En als de tred trager wordt, de mond droog, is daar Kraantje Lek! In de gelagkamer moet Frans Hals nog hebben zitten schilderen, de holle boom is legendarisch, het speeltuintje, het klimduin en de pannenkoeken niet minder.

Naar Haarlem NS. Station uit aan centrumzijde, rechtsaf en links (Kruisweg), rechtdoor (Kruisstraat), tweede straat links (Nieuwe Kruisstraat), eerste rechts: Pieterstraat. Deze buigt linksom, voor de kerk rechtsaf en linksaf Ceciliasteeg. Aan het eind links en spoedig rechts, Donkere Begijnhof. Links om de kerk, voor 't Poortje (hoerenhof!) rechts (Lange Begijnstraat). Aan het eind rechts langs Sint-Bavo, rechts aanhoudend over Grote Markt. Zijlstraat in, meteen links poort door, op Prinsenhof links, rechtsaf Jacobijnestraat. Rechtsaf (Gedempte Oude Gracht) en dan links (Raaks). Over brug rechtdoor (Brouwersvaart), onder spoor door en water volgen over brugje, onder snelweg door en over nog drie brugjes.* Na derde brugje direct links. Rechtdoor Bartolomeus- en Roozenlaan, in Meeszstraat rechts. Meteen links over voetpad langs akker, aan het eind rechts en over brug links: Duinvliet.

Nu eerste weg rechts en de weg schuin oversteken naar Elswout. Hier een rondwandeling via rode (2,5 km) of witte (4 km) paaltjes. Elswout weer verlaten, rechts fietspad op, bij kruising met wegwijzers fietspad rechts, dan eerste fietspad rechts (Bentveldsweg) tot, links, Koningshof. Golvende duinbossen.

Hier een aantal rondwandelingen via witte (1 km), rode (2,5 km) of groene (3,5 km) paaltjes. Koningshof verlaten en links over fietspad tot, links, de toegang tot Middenduin. Langs de huizen naar een brugje waar rondwandelingen beginnen via rode (3 km) en blauwe (3,5 km) paaltjes. Na het verlaten van

Middenduin linksaf fietspad, op kruising** oversteken en linksaf, voetpad langs vijver. Op vork van asfaltpaden rechtsaf, bovenaan rechts langs hek, op kruising links langs spoor, daarna rechtsaf, rechts spoorbrug over en weer rechts (Tetterodeweg) naar Overveen NS.

Openbaar vervoer: Haarlem (Ramplaankwartier), Overveen (eventueel: na verlaten van Middenduin op kruising rechtsaf).

Horeca: Bentveldsweg (Kraantje Lek), Brouwerskolk.

NB. Tot * en vanaf ** kunt u desgewenst de rood-witte markering volgen van het Visserspad.

14
Een suikerfabriek, een papiermolen

HALFWEG – KOOG-ZAANDIJK (19,5 KM)*

Een lange wandeling, maar inclusief vier terrassen om te zitten en veel bermen om te liggen. Trek er een dag voor uit!

Kijk bij het uitstappen om naar het bastion van de suikerfabriek, loop dan Spaarnwoude in. Er zijn Turkse picknicks, Hollandse bungalowtenten, jeugdige bejaarden met golfclubs, een man achter een schildersezel die de aangelegde natuur vastlegt. Vanaf de dijk zie je uit op een breed water en de ontzaglijke installaties van het Westelijk Havengebied.

Daarna gaat het de barre vlakten van de IJ-polders in; de eindeloze rijen aardappels en suikerbieten kunnen onder hoge wolkenstoeten imponerend maar ook onherbergzaam zijn. Aan de einder piekt in Haarlem de Sint-Bavo hemelwaarts.

Door een bos dat nog moet groeien op Buitenhuizen aan. Bij een veer is altijd wat te beleven. Een enorm stalen oranje gevaarte schuift door het kanaal richting Amsterdam, de draagvleugelboot naar Velzen stuift voorbij, senioren in felgekleurde kostuumpjes rijden hun racefietsen de pont op, een meisje probeert – de zon komt door – vergeefs haar broekspijpen af te ritsen.

Over gras het kanaal langs, met links een gebergte van gestort vuilnis, naar Nauerna, een gezellig boeltje van woonboten, jachten en rust. Een smal pad leidt naar de Zaanstreek. Zwarte zwanen met jongen blazen agressief, een sikbok herkauwt, een kolonie grauwe ganzen verheft zich op de vleugels.

De wandelaar bereikt Westzaan, dat popperig is en schilderachtig, met een juweel van een raadhuisje en de machtige papiermolen De Schoolmeester. Tegen de tijd dat het nieuwe politiebureau van Zaanstad in zicht komt – een barse burcht van macht en gezag – doen de voeten zeer, maar het station Koog-Zaandijk is nu dichtbij.

ROUTEBESCHRIJVING

Neem bus 80 van de Marnixstraat naar Halfweg Suikerfabriek. Spoor oversteken, trottoir volgen naar links, rechtsaf Bauduinlaan, rechtdoor fietspad, eerste weg links volgen tot over brug, linksaf voetpad, volgende brug over, linksaf voetpad, weer brug over, linksaf voetpad, volgende brug over, op fietspad rechts.

Bij Crayenstein oversteken, rechtdoor langs golflinks, bij paddestoel P-24807 rechts, bij P-24100 links, bij P-24101/001 rechts. Op Noorderweg links, dan voor het eerste huis rechts over gras, op vijfsprong van graspaden het tweede pad aan uw linkerhand nemen (schuin rechts), links brug over en links naar de weg. Oversteken en op fietspad rechts naar veer Buitenhuizen.

Aan de overzijde rechts voorbij slagboom over graspad langs het kanaal, na volgende slagboom onder viaduct door en rechtdoor tot T-kruising. Rechts, in Nauerna na ophaalbrug en sluisje linksaf fietspad tot in Westzaan, over sluisje rechts Watermolenstraat, op T-kruising linksaf Kerkbuurt, voorbij de kerk rechtdoor, de N246 oversteken, rechtdoor Weiver, op T-kruising rechtsaf Middel, op fietspad links, rechtdoor langs molen, aan het eind linksaf onder viaduct door, bij stoplichten rechts over trottoir, bij volgend stoplicht weer rechts en even verder links: Koog aan de Zaan NS.

Openbaar vervoer: in Halfweg, Buitenhuizen (op beide oevers van het kanaal), Nauerna, Westzaan en Koog-Zaandijk.

Horeca: in Buitenhuizen (ook op beide oevers), Nauerna en Westzaan.

NB. * De afstand kan gehalveerd worden door de wandeling te beginnen in Buitenhuizen (10,5 km) of daar te eindigen (9 km).

15
Lakse konijnen, piepkleine padden

OVERVEEN – SANTPOORT (13 KM)

De Kennemerduinen, klassiek wandelgebied voor de Amsterdammer. Hoeveel kinderen uit de hoofdstad hebben niet hun
eerste wandelingen gemaakt (moeten maken) langs de vrolijke
haasjes die de paden naar speelweiden markeren? Het wemelt
er van lakse konijnen die nauwelijks tot weghollen geneigd
zijn, piepkleine padden die springend je pad kruisen en grote
slakken, schijnbaar bezig aan een soort volksverhuizing.

De wandelaar kan hier zweten als hij door rul zand zwoegt,
maar de schelpenpaden knarsen prettig onder zijn zolen. Als
er regen dreigt is het duindomein uitgestorven maar juist dan
krijgt het iets mysterieus en weemoedigs, vooral in de nazo-
mer: een heiig landschap met dennenbosranden in een vage
mist waardoor de skyline van Zandvoort en de Hoogovens onzichtbaar blijven.

Gaandeweg belandt de wandelaar op de voormalige landgoederen Duin- en Kruidberg en Midden-Herenduin. De heren-
huizen stonden aan de rand van de duinen, met zicht op de
geestgronden; erachter strekte het bezit van de heren zich uit
tot aan de zee. De oude lanen met knoestige bomen roepen in
herinnering hoe ze zich in hun koetsen naar het strand lieten

rijden of op jacht gingen. Nu zijn het natuurgebieden tot genoegen van iedereen.

Het traject voert langs halfwilde pony's, door struikgewas en door een beekvallei; vlakbij zijn de torenflats van IJmuiden-Zuid. Dan verlaat de wandelaar het duinterrein en betreedt het land achter Santpoort: oude boerderijen, dromerige weiden. Hij nadert het station, maar rekt de dag nog wat bij hoeve Duinzicht.

ROUTEBESCHRIJVING

Naar Overveen NS. Linksaf Tetterodeweg, bij bord 'Overveen' linksaf fietspad, aan het eind rechts oversteken, rechtsaf voetpad langs Brouwerskolkweg, verderop linksaf langs Zeeweg. Na tennisbanen oversteken, Kennemerduinen in. Na kiosk rechtsaf fietspad richting Bergweg. Waar dit naar rechts buigt, rechtdoor voetpad. Op asfaltweg links, daarna linksaf richting Vogelmeer. Dit pad volgen en voorbij kruising met schelpen-pad eerste pad rechts omhoog. Links trap op, na uitzichtspunt het slingerend pad volgen tot waar het weer omhoog gaat. Daar links langs Vogelmeer.

Op T-kruising rechts en op T-kruising voorbij het meer links. Op de volgende kruising rechtdoor voetpad. Dit volgen tot asfaltweg, nu linksaf. Deze wordt klinkerweg, daarna eerste pad rechts door hek. Op T-kruising rechts, op splitsing links. Dit pad volgen tot voorbij beek en hek. Daarna eerste pad rechts. Op splitsing bij rood-geel paaltje links. Nu rode paaltjes volgen. Op brede weg rechts, deze volgen tot voorbij uitgang Midden-Herenduin. Rechtsaf voetpad Duin- en Kruidbergerweg tot Kennemergaardeweg. Hier linksaf en voor spoor links naar Santpoort-Noord NS.

Openbaar vervoer: alleen in Overveen en Santpoort-Noord.

Horeca: kiosk bij ingang Kennemerduinen en hoeve Duinzicht, even buiten de route in Santpoort-Noord, beide geopend bij mooi weer.

NB. Het traject volgt het rood-wit gemarkeerde Duin- en Polderpad.

16
Mistige hoogovens, wilde reseda

WIJK AAN ZEE – SANTPOORT-NOORD (17 KM)

Wijk aan Zee is een aardig dorp, gegroepeerd rondom een ruime dorpsweide, aan de voet van hoge duinen waarover altijd witte rookpluimen zweven en de zeewind zich mengt met de smook van staalovens. Wie haalt het nou in zijn hoofd langs de Hoogovens te wandelen? Bcklim het hoge Paasduin eens: een verbijsterend landschap van zee, zand en staalindustrie ontvouwt zich. Op een mistig-druilerige ochtend krijgt het iets geheimzinnigs. Wolken stoom, vuurgloed, het hartverscheurend gegier van spoorwagons op rails maar vlakbij: wilde reseda, slangenkruid en konijntjes.

Niet veel later gaat de wandelaar over het landgoed Westerhout dat zich met zijn volkstuinen, waterpartijen en weiden vol witte koeien wist te handhaven tussen woonwijken, fabrieksterreinen, havens. Doorkruisen van Velsen-Noord is geen pretje, maar spoedig volgt de attractie van het Noordzeekanaal, met zicht op stoere aken, zeesluizen en met een beetje geluk een zeekasteel.

Dan naar het schilderachtige Oud-Velsen, wonderbaarlijk gespaard gebleven voor de vooruitgang, en landgoed Beeckestijn, ook gespaard gebleven, veel langer geleden al: toen in het begin van de negentiende eeuw de buitenplaatsen naar de nieuwe Engelse mode romantisch werden, bleef Beeckestijn op z'n Frans symmetrisch en strak, met lange rechte lanen, witte beelden, een overhuifd vrijerslaantje, slangenmuur en kruidentuin.

Langs de binnenrand van de duinen – stug struikgewas, sierlijke rijpaarden in weiden, verwaarloosde parken rond oude buitenhuizen – kuiert de wandelaar naar het spoorstationnetje om de terugreis te aanvaarden. Of lest hij, uitkijkend over de geestgronden, eerst zijn dorst bij gindse hoeve? Het was een wonderbaarlijke wandeling vandaag, maar erg afwisselend.

ROUTEBESCHRIJVING

Met buslijn 96 van Amsterdam CS naar Wijk aan Zee, Julianaplein. Hogeweg in, linksaf Bosweg, links via voetpad en trap Paasduin op. Dit over, weer onder aan Paasduin scherp rechts, dan links en bij bord 'Gedoogd wandelgebied' weer links. Doorgaan tot achter huizen, hier rechtsaf en dit voetpad volgen onder twee viaducten door. Dan rechts, een weg van betonplaten, na bunker links en het eerste pad links. Links aanhoudend over het landgoed Westerhout.

Op T-kruising na schooltuin rechts, voor Beverwijkse muziekschool langs, rechtsaf Westerhoutweg, dan linksaf breed fietspad. Spoor over, fietspad langs Wenckebachweg volgen. Bij stoplichten links, rechtdoor over Grote- of Parkweg. Over spoor rechts naar veer over Noordzeekanaal.

Overvaren, aan de overzij links voetpad blijven volgen. In Oud-Velzen rechtsaf, langs de kerk, dan links tunneltje door en verderop langs hek van hertenkamp. Op kruising van beukenlanen links, voor huisje weer links. Links aanhouden, klinkerweg over en langs hek tot vijfsprong, hier scherp links. Op volgende kruising rechtdoor over slootje, dan links. Aan het eind rechts naar huize Beeckestijn.

Bij het huis rechts tot vijver, linksaf en meteen weer links, aan het eind rechts. Dit pad volgen tot voor voormalige kapel. Hier links asfaltweg op, dan rechts (P.C. Hooftlaan). Deze volgen tot voorbij de kerk. Daar linksaf, rechts spoor over en meteen links voetpad langs Duin- en Kruidbergerweg tot Kennemergaardelaan. Linksaf en voor spoor links naar Santpoort-Noord NS.

Openbaar vervoer: langs de hele route. Ook vervoert tussen Amsterdam CS en IJmuiden een draagvleugelboot passagiers!

Horeca: in Wijk aan Zee, IJmuiden (aan de zuidzijde van het veer), Oud-Velsen en Santpoort-Noord (een uitspanning bij de Kennemergaardelaan, even buiten de route).

NB. De route valt samen met het Duin- en Polderpad en is gemarkeerd met rood-witte tekens.

17
Zweefvliegtuigen en soms een vosje

CASTRICUM — WIJK AAN ZEE (16 KM)

De klassieke duinwandeling! Eerst door de geestgronden, waar
in het voorjaar de akkers in bloei staan, dan door lage bosjes
van weerbarstige eikenstruiken, duinweiden en schrale vallei-
en, met zicht op de laatste duinenrij voor de zee. Wel dient de
wandelaar twee guldens (hij steke munten bij zich!) te pleggen
in een automaat om rechtmatig toegang te verkrijgen, maar
dan ligt het duinreservaat voor hem open. Beklim het uit-
zichtduin, zie de zweefvliegtuigen opstijgen tussen de meeuwen
en kijk uit over de vennen met hun wonderlijk blauwgroene
water. Er zijn veel Vlaamse gaaien, konijnen, aalscholvers en
soms een vosje.

Al spoedig bereikt de wandelaar, nog lang niet moe, Johanna's
Hof, maar hij zal er niet aan voorbijgaan want de oude duin-
hoeve is, afgebrand en weer herrezen, een aangename uitspanning. Ertegenover, fraai verscholen in namaakduintjes,
ligt het bezoekerscentrum De Hoep, dat het publiek inlicht
over de natuur en de waterwinning – dit zijn de Provinciale
Waterleidingduinen.

De tocht voert door de vroegere ontginning Brabantse Land-
bouw, over Kruisberg en Ligustervlak, langs een pompstation

en dan komen de schoorstenen van de Hoogovens in zicht. Het kan zijn dat de wandelaar door de routebeschrijving of de markering (de rood-witte streepjes zijn soms half verborgen achter pollen helmgras) het spoor bijster raakt, maar dat geeft niets. Door zuidwaarts te blijven gaan en paddestoelen te raadplegen komt hij zonder mankeren in Wijk aan Zee, dat in elk seizoen een verrassing is.

ROUTEBESCHRIJVING

Station Castricum aan achterzijde verlaten, rechtsaf en meteen links (Kramersweg). Bij paddestoel P-21400 rechtdoor, bij P-23125 rechts, bij P-23669 weer rechts, aan het eind links (Geversweg). Bij P-22590 links (Hogeweg), op viersprong onverhard pad rechts, voor klinkerweg voetpad links (Duijnweg, door hekje). Op kruising rechtsaf, op T-kruising links en dit pad volgen (achter bank met vuilemmer langs) tot T-kruising met paaltje 21A. Nu rechts, op volgende kruising met paaltje 21A ook rechts. Op kruising na duinweide links aanhouden, op volgende kruising bij paaltje 21A rechts, bij volgend paaltje 21A links en doorlopen tot klinkerweg (Geversweg). Nu links, bij P-22880 rechts (Limietlaan) en op driesprong rechts tot overdekt informatiebord. (Hier vindt u Johanna's Hof en bezoekerscentrum De Hoep.)

Bij informatiebord linksaf en dit pad volgen tot klinkerweg met steen 'Groeneweg/Joh's Hof'. Links en meteen rechtdoor voetpad. Aan het eind rechtsaf klinkerweg, eerste zijpad rechts en kort voor klinkerweg rechtsaf karrenspoor volgen tot op klinkerweg. Linksaf en na uitzichtspunt grindweg linksaf. Op Y-kruising rechtsaf Meeuwenweg en deze lang volgen, bij P-22948 oversteken en op fietspad bij witte paal rechtsaf graspad. Nu het tweede pad links, dit lang volgen tot klinkerweg (Meeu-wenweg), hier rechts. Bij P-22946 rechts (Scheivlakweg) en na ruiterpad het tweede voetpad rechts (bij roodwit pijltje). Dit lang volgen, bij paaltje 27 links aanhouden (volg het pijltje). Op klinkerweg (Bonnaleiding) rechts, op kruising links, op volgende kruising rechts, dan tweede voetpad links. Eerste pad rechts, dan eerste pad links tot Meeuwenweg. Rechtsaf en links Wijk aan Zee in. Boothuisplein over, rechtsaf Zeecroft, links aanhouden naar kerk en bushalte Julianaplein.

Openbaar vervoer: alleen in Castricum en Wijk aan Zee.

Horeca: in Castricum, bij Bakkum (Johanna's Hof) en in Wijk aan Zee.

NB. Van Johanna's Hof naar Wijk aan Zee loopt ook een rood-wit gemarkeerde wandelroute, die echter niet overal duidelijk is; men heeft het gidsje van het Visserspad nodig om dit te volgen.

18
Langs een Vermaning, langs een Woudaap

KROMMENIE – CASTRICUM (17 KM)

De tocht begint pittoresk: langs de groen geverfde houten Zaanse gevels van Krommenie. Zie de oude Vermaning, het kerkje van de doopsgezinden! Een jongetje zit een vriendje met vingerhoedskruid achterna: 'Da's giftig, meneer!' Het vriendje rent angstig weg.

Allengs komt steeds meer water langs uw pad: tochten en vaarten, plassen en meren. Sla gade hoe fietsers het pontje in de Nauernasche vaart zelf met de hand moeten overtakelen; het duurt meer dan een kwartier voor ze aan de overkant zijn, maar wie zou daar om malen? De wandelaar vaart niet over, hij zet koers naar de molen die Woudaap heet en zijn uitzicht wordt nu ruim: op het fort bij Markenbinnen, het kerktorentje van Krommeniedijk en de televisietoren in de Wormer.

Wist u dat Krommenie vernoemd is naar het Cromme IJ, een vroeger druk bevaren zijtak van het IJ? Nu is het een stil natuurgebied.

Donkere wolken weerspiegelen in de watervlakte van het Alkmaarder meer, waarop witte zeiltjes traag voortglijden in een zachte bries. Op het terras van de jachthaven trakteren zes vriendinnen aan de wandel zich op een lunch van torenhoge sandwiches.

Uitgeest toont zich, vanuit het oosten benaderd, van zijn aardige kant. Smalle lommerrijke straten, lage oude huizen, een mooie kerk met een stenen spits. Zie het Regthuys(je) anno 1684! Aan de andere zijde liggen links de voorspelbare nieuwe woonwijken waar straten Sleutelbloem en Penningkruid heten, maar het pad voert eromheen en aan uw rechterhand ligt de eendenkooi en daarachter weiden vol bloemen en vogels – een reiger verorbert met tevreden traagheid een lange worm.

In de verte lonken de duinen. Het gaat de geestgronden op, met hun akkertjes en tuinen, bomenrijen en bollenvelden. Vermoeid bereikt u Castricum met zijn terrassen. Ja ober, een bier graag!

ROUTEBESCHRIJVING

Naar Krommenie NS. Station uit, rechts tot stoplicht, linksaf Vlietsend in en in deze richting blijven voortgaan (later met links water) tot T-kruising. Rechts Taandijk, dan links Woudaappad. Dit pad lang blijven volgen, dan door hekje naar jachthaven en daar doorheen lopen, na uitgang schuin rechts naar molen. Onder autoweg door, rechtsaf Hoorne, linksaf Scharloo, rechtdoor gaan, linksaf Achterloet, rechtsaf Castricummerweg.

Over de brug rechtsaf voetpad, dit langs water volgen, bij tweede brug schuin links over grasveld en pad vervolgen tot T-kruising na brugje. Hier linksaf over graspad tot asfaltwegje. Hier rechtsaf. Tunneltje door en het fietspad blijven volgen tot T-kruising. Nu linksaf, rechtsaf Cronenburgerlaantje, rechtsaf Oosterbuurt, linksaf Doodweg, tweede zandpad rechtsaf, verharde weg linksaf, rechtdoor, rechtsaf Schoolstraat, na kerk linksaf en rechtdoor naar Castricum NS.

Openbaar vervoer: in Krommenie, Uitgeest (bus, trein), Castricum.

Horeca: in de jachthaven aan het Uitgeestermeer (behalve op maandag) en in Uitgeest.

19
Wiekende molens, weelderig moeras

KOOG-ZAANDIJK − DEN ILP (16,5 KM)

Waar de wieken van de molens lustig gaan! Op de brug over de rivier tel ik er al vijf. De eerste molen heet de Blecke Dood, de meeste andere staan in de Zaanse Schans te poseren voor Japanners en Duitsers. Neem daar ook eens even een kijkje, het is er bepaald pittoresk.

Ja, we gane met z'n allen naar de Zaan! Maar spoedig laten we de toeristenattracties achter ons en lopen via fabrieken (de Zaanstreek was een brandpunt van nijverheid) door een stil Zaans buurtje en langs woonschepen het Jagersveld in. Even voert het traject door een nieuwe woonwijk, even zelfs langs een snelweg. Om die te bouwen was veel zand nodig en zo is het Jagersveld ontstaan: een natuurgebied. En de wandelaar denkt aan Johan Cruijff, volgens wie immers ieder nadeel zo zijn voordeel meebrengt.

Het is een wonderlijk contrast als vlak naast je rechts het autoverkeer raast terwijl aan je linkerhand kittige molentjes en witte koeien in de wollige weiden van het uitgestrekte Oostzanerveld staan. Langs de spoorlijn bereikt de wandelaar Oostzaan en ziet dat iemand een 'verinnerlijkt reisverslag' van zijn pelgrimstocht te koop aanbiedt. Maar hij stapt door en gaat het Twiske in – het mooiste is vandaag voor het laatst bewaard: Nederland zoals het geweest moet zijn, weelderige moerassen.

ROUTEBESCHRIJVING

Naar Koog-Zaandijk NS. Station aan voorzijde verlaten, recht-door Stationsstraat, linksaf Hoogstraat, na molen rechts brug over, rechtsaf Sonoystraat, aan het eind links fietspad over brugje, rechtsaf en over ophaalbrug links (Kalf).

Helemaal doorlopen tot Ramsbeek*, rechts en meteen links (Waal). Aan het eind rechtsaf fietspad en rechtdoor tot fiets-pad links, dit opgaan en over brugje linksaf. Eerste brugje rechts over, rechtdoor en aan het eind rechtsaf. Dan links brug over, dit pad volgen tot vorksplitsing, linksaf en over brug links.

Onder het viaduct door en bij wegwijzer 14065/2 links langs snelweg. Meteen na viaduct steil omlaag (of even doorlopen tot fietspad) naar links en doorlopen tot in Oostzaan.

Op kruising in Oostzaan rechtdoor fietspad, Twiske in. Over brug rechtdoor gruispad, bij bank links, door hek, voor brug links en tweede pad rechts. Op weg rechtsaf, op T-kruising rechts, bij bank over voetpad rechtdoor. Dit lang volgen en na klaphekje op fietspad rechtsaf. Daarna eerste voetpad rechts (bij bank), daarna bij een bank rechts en meteen links. Over brug rechts, bij speelveld rechtdoor tot verkeersweg**. Aan de over-zijde daarvan voetpad naar rechts volgen, fietspad oversteken en aan het eind linksaf. Op T-kruising rechts, op fietspad links, twee paden kruisen en dan eerste fietspad links. Eerste voetpad rechts, na zijpad met vlonder eerste pad links en rechtdoor door hek naar verharde weg***. Linksaf en over brug*** Den Ilp in.

Openbaar vervoer: Koog-Zaandijk, Kalf (Waal), Den Ilp, Ilpendam (variant a), Landsmeer (variant b).

Horeca: Koog-Zaandijk, Zaanse Schans, Kalf ('t Heerenhuis, bij Ramsbeek), Den Ilp, Ilpendam (variant a), Landsmeer (variant b).

NB 1. Vanaf * tot *** kunt u eventueel de rood-gele markering van de Amsterdamse Ommegang volgen.

NB 2. In Den Ilp is openbaar vervoer schaars (eens per uur, op zaterdag viermaal per dag en 's zondags helemaal niet). Voor wie meer mogelijkheden wil hebben zijn er varianten:

a. Door het Ilperveld.
Daarvoor verkeersweg (**) over, schuin links over voetpad tussen berken, doorlopen naar brug, deze over, op T-kruising rechtsaf Den Ilp in, linksaf fietspad (Molenzijl) tot Noordhollands Kanaal en met veer naar Ilpendam, waar openbaar vervoer overvloedig is. De afstand wordt dan 20 kilometer.

b. Verder door het Twiske.
Ga daarvoor aan het eind voor de brug rechts over graspad (wordt zandpad, later parallel aan fietspad), bij paddestoel 25215 en informatiebord links over brug. op T-kruising rechts (Noordeinde) en tweede straat links (Varenstraat) naar het vertrekpunt van de bus naar Kudelstaart door het centrum van Amsterdam. De afstand wordt dan 18,5 kilometer.

20
Aangelegde natuur, ongeklede recreatie

LANDSMEER – ILPENDAM (11 KM)

Een uitbundig kikkerkoor, een stoere molen, hengelaars aan de oever van de plas. Koekoeken en grutto's in de lucht, in het water jonge zwanen en meerkoeten, voor de voeten van de wandelaar een fazant die vlucht, een reiger die niet opvliegt. Hij loopt over een zompig pad door rietland: het Twiske. Aangelegde natuur, tot uw dienst, maar alweer oud van voorkomen, alsof Holland er hier al eeuwen zo uitziet: moerassige weiden, poelen, bosschages van weerbarstige eiken, berken en peppels.

Aan de Stotersplas wordt gewaarschuwd dat 'ongeklede recreatie niet toegestaan' is – de oevers staan bekend om blote mannen. Met de zon op zijn kop en de wind in zijn haren gaat de wandelaar op Den Ilp en dan op twee slanke torens in de verte aan, door het Ilperveld, een eilandenrijk vol weidevogels en 'winterharde schapen'. Een haas zit op het weggetje, spitst zijn oren en sprint zigzaggend de weiden in.

Op het pontje over het Noordhollands Kanaal zegt de veerman dat het droog zal blijven. Hij wijst: kijk, die bonken wolken boven Den Helder drijven weg. De wandelaar kuiert het stille dorp in en neemt plaats op het terras van Het Wapen van Ilpendam.

Bus (171, 172) van Amsterdam naar Landsmeer, Raadhuisstraat. Linksaf Sportlaan, over brug rechtdoor, alle zijpaden negeren tot T-kruising na tennisbanen, rechtsaf, brug over en bij informatiebord rechtsaf voetpad langs water. Dit volgen tot volgend informatiebord en paddestoel P-25215, linksaf. Tweede pad rechtsaf, over brug, dan eerste pad linksaf, op asfaltpad rechtsaf, meteen na brug voetpad linksaf, op kruising via hekje rechtdoor het natuurpad langs de Stotersplas op.

Na ruim 100 meter bij paaltje '2' rechtsaf over brugje, meteen linksaf over brugje en graspad, op splitsing rechts, links om de poel heen, na paaltje '7' rechtsaf langs de plas. Na 100 meter weer rechtsaf bos in, bij splitsing rechtsaf tot bank bij ruige weide. Hier linksaf, daarna opnieuw linksaf naar plas. Daar rechtsaf, door hekje en op fietspad rechtdoor.

Dit volgen tot oranje-geel-wit paaltje. Nu rechtsaf en meteen links over een pad door de rietlanden. Dit volgen tot asfaltweg, rechtsaf. Eerste voetpad links, meteen weer links bos in. Bij splitsing rechtsaf, aan het eind rechtsaf, even verder linksaf over gras langs ruiterpad, op verhard pad linksaf, bij kruising schuin linksaf (geel paaltje), aan het eind rechtsaf over brug. Op splitsing rechtsaf (Den Ilp), eerste weg linksaf (Molenzijl), deze 3 kilometer volgen, met pont over kanaal naar Ilpendam.

Openbaar vervoer: in Landsmeer, Den Ilp (schaars) en Ilpendam.

Horeca: in Landsmeer, Den Ilp (buiten de route) en Ilpendam (Het Wapen van Ilpendam, op maandag gesloten).

21
Jonge futen, nijdige zwanen

ILPENDAM – VOLENDAM (15 KM)

Door een knus bosje gaat het Ilpendam uit, de wijde ruimte van de polders in. Rechts is het land het oudst, met kromme sloten, kleine weiden en boompartijen, links liggen de grote kavels van de Purmer tussen rechte lijnen. Daarachter is het silhouet te zien van de slaapstad.

Een straffe bries buigt het riet langs de ringvaart ver door. Door het water ploeteren jonge futen, net te oud om nog bij hun moeder op de rug mee te varen, ze krijsen brutaal om voer.

Op het graspad is de wandelaar alleen met koeien, schapen en zwanen die nijdig blazen om hun nageslacht te verdedigen. In de verte de torens van Monnickendam en Edam, de lichtmasten van het stadion in Volendam. 'Airport Katwoude' meldt een opschrift. Op het 'heitje van Katham' groeit de heide in een verlande sloot. De Katwouder molen wenkt, rollerskaters zwieren langs.

De drukte van Volendam is, na de stilte van het polderland, beklemmend. De dijk biedt, tussen drommen dagjesmensen, uitzicht op het water waarover de wind witte koppen jaagt: de Gouwzee, ooit een gouden baai van handelsvaart, nu baaierd van toerisme. Het is laat geworden, het sigarenbandjesmuseum is al gesloten.

ROUTEBESCHRIJVING

Van Amsterdam CS per bus (diverse lijnen) naar Ilpendam, een eindje teruglopen, tweede straat links (Dorpsstraat), Kerkstraat in naar RK kerk, rechtsaf grindweg, aan het eind linksaf voetpad. Dit volgen tot splitsing, linksaf en over brugje rechtsaf klinkerweg. Na brug over Purmerringvaart rechtsaf fietspad.

Nu steeds ringvaart aan rechterhand houden tot tweede brug, hier rechtsaf en meteen linksaf asfaltweg. Aan het eind linksaf fietspad, bij bushalte linksaf over hek*, voetpad langs Purmer Ee. Aan het eind over hek linksaf fietspad, onder viaduct door, over ophaalbrug en linksaf.**

Fietspad volgen, bij wegwijzer 723/1 oversteken naar ophaalbrug. Lage Dijk volgen. Dan over een hek voetpad over de dijk volgen en daarna de verharde weg. Na ophaalbrug oversteken, linksaf Wagenweg, rechtsaf Achterdichting, aan het eind via trap dijk op, linksaf en aan het eind rechtdoor naar Julianaweg en busstation in de Zeestraat te Volendam.

Openbaar vervoer: Ilpendam, Monnickendam (bij ** rechtsaf), Volendam.

Horeca: Ilpendam, Monnickendam (bij ** rechtsaf), Volendam (aan het eind van de wandeling rechtsaf naar de dijk).

NB. Het voetpad bij * kan te modderig zijn, blijf dan het fietspad volgen naar het viaduct.

22
Dartele koeien in het Varkensland

AMSTERDAM — WATERGANG (14 KM)

We verlaten Amsterdam langs de biologisch-dynamische stadshoeve.

Spoedig ligt de stad achter u en voor u Zunderdorp, inge-klemd tussen weilanden, rietkragen en golflinks. Kuier het dorp even door, niet te lang; dorpelingen hebben het niet op pottenkijkers.

De Poppendammer Gouw is platteland. U bent in de stilte, afgezien van het gekwinkeleer der vogels en het gebrom van een enkele tractor. Op de gevels van hoeven zijn afbeeldingen van koeien te zien. Eenden kwaken, een reiger slikt een vis door. Grutto's in de wei en veel kieviten – een bordje meldt 'Verboden eieren te rapen'. Rechts liggen Ransdorp en Holy-sloot en zeiltjes op het IJsselmeer pieken over de dijk. Een op-haalbrug lijkt reclame te maken voor het Holland van de toe-ristenaffiches. In een sloot dobbert een nepzwanenpaar met nepjongen.

Zuiderwoude lag vroeger in moerasbossen, nu peddelen kano-vaarders over het voormalige veenriviertje de Kerk-Aae. Broek in Waterland moet welvarend geweest zijn, en is het weer. De statige hoeven aan de havenkom huisvesten nieuwe rijken. De kerkdeur staat open, de wandelaar bekijkt het gewelfde houten plafond met de bazuinengeltjes en gaat dan het Varkens-landpad op. Hier heeft hij het rijk alleen, er is niet eens een echt voetpad, alleen een vage route langs paaltjes met witte koppen waarop hij zijn koers moet uitzetten dwars door de weilanden.

Dartele jonge koeien zijn opgetogen over het bezoek en ko-men speels aangehold. Ze doen niks, zegt men, maar van dicht-bij zijn ze verontrustend groot. Spoedig verdringen ze zich van beide kanten om de wandelaar die benard boven op een hek zit. Maar wie de route verlaat teneinde het vee te ontlopen komt van een koude kermis thuis want overal versperren bre-de vaarten de doorgang. Toch maar langs de koeien dus. Van-af de hoge voetbruggen is het uitzicht fabuleus: op Holland waterland, de torens van Watergang, Broek, Monnickendam, Ransdorp en ook de flats in Amsterdam-Noord.

ROUTEBESCHRIJVING

Bus 33 van Amsterdam CS naar Beemsterstraat. Volg (er staat een wegwijzer) richting Zunderdorp. Over de brug links, over de volgende (ophaal)brug rechts. Aan het eind van Achter-gouwtje rechtdoor over fietspad langs Nieuwe Gouw. Bij weg-wijzer 17875/1 linksaf Poppendammer Gouw op. Deze lang blij-ven volgen. Op kruising bij wegwijzer 17876/1 rechts, op de volgende kruising (17877/1) links naar Zuiderwoude.

Voor de kerk links, over de brug fietspad op, dit volgen tot in Broek in Waterland. Over Molengouw, aan het eind rechts, dan ophaalbrug over en tunnel door. Naar links eruit het dorp door*, voor de kerk links, daarna rechts en meteen weer links: Varkenslandpad. Hek over en dwars door weiden, soms over hekken, langs paaltjes met witte kop schuin links naar het Marsbosje. Door dit bosje naar voetbrug, dan recht op een brugje van stammetjes af en naar de volgende voetbrug. Tussen sloten door via loopbruggetjes en nog een voetbrug Watergang in. Rechtsaf Dorpsstraat en linksaf Populierweg en naar bushalte.

Openbaar vervoer en horeca: Broek in Waterland, Watergang.

NB 1. Wie alleen het Varkenslandpad (4 km) wil lopen, neemt een bus van Amsterdam CS naar Broek in Waterland en volgt de routebeschrijving vanaf *.

NB 2. De kerk in Broek in Waterland staat 's zomers in het weekeinde open ter bezichtiging.

23
Blije zwaluwen, bruine zeilen

AMSTERDAM – UITDAM (17 KM)

Donkere luchten hangen zwaar boven Waterland, onweer dreigt. Spoedig barst de bui los en regent het blaasjes in de Broekermeerringsloot. De zwaluwen en grutto's zijn er hoorbaar blij om. Het torentje van Zuiderwoude vervaagt in een natte nevel. Dan klaart het al op en wordt de Rembrandttoren opnieuw zichtbaar boven de kim. Zo dicht bij Amsterdam, zo weids!

Over witte voetbruggen loopt de wandelaar, nieuwsgierig aangestaard door vee, dwars door de weiden naar Holysloot. Op een gedenksteen in het kerkje dat gebouwd is 'na den watersnood' van 1916 staat psalm 126 vers 3: 'De Heere heeft grote dingen bij ons gedaan, dies zijn wij verblijd.'

Dan voert het pad verder door de weiden naar Uitdam en weer gaat het regenen. Tussen de oude Noorder IJ- en Zeedijk en de kust van het nieuwe Flevoland is het water onstuimig. Tjalken varen onder bruine zeilen, een kiekendief speurt naar prooi.

Overhemd, broek, haren raken doorweekt. 'Zat u in de bui?' vraagt de dienster in De Scheepskameel. Even later laat het va-

ge schijnsel van de zon die op doorbreken staat de weiden op-
lichten in een geheimzinnig-groene gloed. De lucht waait
schoon en over de Gouwzee heen worden Volendam en Marken zichtbaar.

ROUTEBESCHRIJVING

Van Amsterdam CS met lijn 33 naar halte Volendammerweg,
uit de bus stappend rechtsaf gaan en de Volendammerweg
rechtdoor volgen. Onder viaduct A10 door, fietspad op, over
brug rechtdoor, aan het eind bij wegwijzer 17875/2 linksaf fietspad, na nr 34A rechtsaf voetpad. Dit volgen over brug en met
twee bochten mee, aan het eind op weg (Broekergouw) rechtsaf en fietspad op. Dit helemaal volgen (tweemaal weg oversteken, linksaf over brugje) tot de eerste huizen van Broek in Waterland.

Daar rechtsaf*, meteen weer rechtsaf via Hellingweg en Wa-
gengouw. Aan het eind linksaf, dan eerste weg linksaf (3 Mer-
riën), over het erf van de manege (er is recht van overpad) en
linksaf door hekje naar grasdijk. Deze via hekjes, twee boerderijen en oude molen volgen tot hoeve met huisnummer 3.
Hier rechtsaf, aan het eind links, bij wegwijzer 17876/1 rechtsaf, bij volgende wegwijzer links via weiden, brugjes en voetveer naar Holysloot**.

Daar linksaf, voorbij kerk rechtdoor (richting Marken), aan
het eind rechtdoor over onverharde weg tot wegwijzer. Rechtsaf door weiden via brugjes en weggetjes langs hoeve naar IJs-

selmeerdijk. Boven op de dijk linksaf op fietspad tot wit hek bij Uitdam.

Over de weg door het dorp, daarna weer rechts over fietspad. Bij camping voetpad over dijk volgen tot de weg naar Marken.

Openbaar vervoer: Zunderdorp, Broek in Waterland (als bij horeca), Holysloot en op de weg naar Marken.

Horeca: Broek in Waterland (daartoe bij * rechtdoor gaan en onder tunnel door het dorp in), Uitdam (De Scheepskameel).

NB 1. Het voetveer naar Holysloot (**) vaart van 15 april tot 1 oktober in de weekenden, in juli en augustus dagelijks: tussen 9 en 17 uur.

NB 2. Aan het eind van de wandeling kan de doorzetter linksaf het fietspad en later het voetpad onder aan de dijk rechts volgen tot in Monnickendam. De wandeling wordt dan 21 kilometer.

24
Jonge koeien, oude trapgevels

MONNICKENDAM – VOLENDAM (13 KM)

De zon blikkert op het water van de Purmerringvaart, de polder ligt een paar meter lager, het geraas van de autoweg klinkt, maar de wandelaar is er alleen met kieviten en jonge koeien. Tegen de dijk vlijt zich hier en daar een kloek boerenhuis, er liggen sloepen en kettingpontjes afgemeerd waarmee de bewoners het moeten bereiken. De torens van Edam beheersen het uitzicht.

Lopen over gras moge zwaarder zijn, want de grond is ongelijk en regelmatig wordt de voortgang gestuit door hekken die het vee binnen hun domein houden en dient men erover te klimmen – waartoe echter, nu de infrastructuur voor het wandelen steeds beter wordt, keurige opstapjes zijn aangebracht. Maar het mooiste is: graspaden zijn niet anders dan te voet begaanbaar, de wandelaar heeft hier met niemand iets te maken.

Afwisseling is lafenis op een voettocht. Eerst gaat het door het verstilde Monnickendam ('Anders zijn mag niet' staat op een herenhuis), dan door de polder, daarna weer een Zuiderzeestadje door. Edam is een idylle van vergane glorie, met koepels aan de grachtjes, oude trapgevels en een overkluisde sluis die de Dam heet. Er peddelen toeristen rond, maar niet veel

voor een zomerdag. In een gevelsteen kijkt een stuurman op-
lettend naar de wind in zijn zeilen, hij houdt een 'ooch int seyl'.

Vervolgens langs het IJsselmeer: de openheid van de binnenzee, veel zeiltjes en in de verte het Paard van Marken, vuurbaak in een schitterende zilveren watervlakte. In Volendam is
het druk, drommen dagjesmensen op de smalle dijk, die pa-
ling kopen en souvenirs. Maar dat is ook wel weer aardig, voor
even.

ROUTEBESCHRIJVING

Bus van Amsterdam CS naar Monnickendam, halte kerk. De
Zarken in, rechtdoor Kerkstraat. Bij speeltoren linksaf Noordeinde, voor brug links, over ophaalbrug rechts fietspad. Na
huizen rechtsaf graspad, over hekken langs water (Purmer Ee).
Aan het eind rechtsaf fietspad, eerste weg rechtsaf (Oude
Kloosterdijk), aan het eind rechtsaf over brug. Nu meteen
rechtsaf via opstapje naar voetpad over dijk. Dit helemaal volgen (bukkend onder viaduct door) tot groene ophaalbrug.
Hier rechts (Groot Westerbuiten).

Rechtdoor door voetgangerstunnel, rechtdoor Lingerzijde,
linksaf Kleine Kerkstraat, rechtsaf Spui. Nu rechtdoor via
Dam, Voorhaven en Oorgat. Tegenover nr 6 bij bord 'Strand-
bad' rechtsaf over sluisje, linksaf voetpad over dijk. Dit volgen
tot in Volendam, doorlopen tot Zeestraat en rechtsaf naar busstation.

Openbaar vervoer: in Monnickendam, Edam en Volendam.

Horeca: in Monnickendam, Edam en Volendam.

25
Elf jonge zwanen, multicultureel rugby

EDAM – ILPENDAM (18 KM)

Neem vandaag proviand mee en iets te drinken, want de route voert door een Hollandse verlatenheid. De polder in! Het is zonnig en het waait hard, ideaal weer voor dit landschap, al zweemt in de wind ook zurige lucht uit varkensstallen over de dijk. Vanaf het pad langs de ringvaart raak je onder de indruk van het wijde gewonnen land en de krachttoer die, met primitieve middelen, de 'droogmakerij' in de zeventiende eeuw was. Er staan boerderijen die Kalversprong en De Witte Haan heten, een wit gemaal en aan de overkant het afgedankte spoorstation van Kwadijk. Daarachter rijst een stoere watertoren op uit de Beemster.

Het uitdijende Purmerend dringt steeds verder de polder binnen, met een industrieterrein, nieuwe woonwijken, golflinks en speelweiden met rugbygoals – er wordt zowaar multicultureel rugby gespeeld. Het Purmerbos, jong en uitgestrekt, is aangelegd ter verpozing van de slaapstadbewoners. Langs de oostelijke rand gaat de wandelaar over gras langs slootkanten waar zich alleen eenden, reigers, en zwanen (een paar met elf jongen!) ophouden. Hij ziet er uit over de vlakte van het polderland, slechts onderbroken door bomenrijen langs rechte wegen en de dijk in de verte.

Een jogger gaat moeizaam voort: de eenzaamheid van de langeafstandsloper. Dan lonken twee kerktorens en daarmee het terras bij Het Wapen van Ilpendam. Tevreden strijkt de wandelaar er neer, een mooie tocht!

ROUTEBESCHRIJVING

Van Amsterdam CS per bus naar Edam busstation (richting Hoorn is het snelst!). Ophaalbrug over, links door tunneltje, rechtdoor Groot Westerbuiten, brug over, meteen rechts fietspad op en nu de ringvaart steeds rechts houden, ten slotte onder een viaduct door en dan na volkstuinen links omlaag, Fenixlaantje door.

Tweede fietspad rechtsaf (Koebruggelaantje) en dit volgen langs een hek en over een brug, de Edisonweg oversteken en het fietspad vervolgen. Op T-kruising links en over bruggetje rechtdoor langs golfterrein*. Aan het eind daarvan rechts over gras langs sloot, op betonpad rechtdoor en bij paaltje linksaf.

Voor het water rechts, op betonpad rechtdoor, in de bocht rechtdoor over gras het water volgen, links brug over en weer links over gras het water volgen. Links de weg oversteken, brug over, linksaf en het water links houden tot op fietspad. Nu linksaf en na paddestoel P-63909/001 over de sloot links. Het water links houden, drie bruggetjes over en de grote brug oversteken. Op weg (bij P-63912/002) links, voor brug fietspad rechtsaf, over volgende brug rechtdoor over gras tot fietspad**.

Dit rechtdoor volgen naar dijk, dan rechts, na 1,5 kilometer over brug rechtdoor. Via Kerkstraat en Dorpsstraat naar bushalte.

Openbaar vervoer: in Edam, Purmer-Noord en Ilpendam.

Horeca: in Edam, Purmerend (buiten de route) en Ilpendam.

NB 1. Vanaf * tot ** valt het traject samen met de gemarkeerde Bos- en Dijkroute van het Landschap Waterland.

NB 2. Mocht u de graspaden langs de sloten te ongelijk of te zompig vinden, volg dan over het fietspad de in groene letters aangegeven richting Ilpendam.

26
Op een stuwdam, langs ijsbrekers

RONDJE MARKEN, INCLUSIEF STREKDAM (11 KM)

Het mooie van een klein eiland is dat je het onder de knie kunt krijgen door het rond te lopen. Dat gaat ook voor Marken op, al is dit technisch gesproken geen eiland meer sinds een dam het in de jaren vijftig met het vasteland verbond. Maar als je op het puntje bij 't Paard staat voel je je toch op een eiland, en zeker als op Koninginnedag de Markers in klederdracht bijeen komen om bij de kerk uit volle borst vaderlandse liederen te zingen.

De wandeling is niet lang. Neem dus de tijd voor de straatjes van de Kerkbuurt, en eventueel voor het museumpje. Er drentelen hele busladingen toeristen en Sijtje Boes-klanten, maar zo gauw de wandelaar het smalle pad langs het IJsselmeer op gaat laat hij de drukte achter zich: een reiger op zijn pad en verder niemand.

Op de stuwdam wordt men omringd door de golvende watervlakte. Bij helder weer lijkt Volendam erg dichtbij, of je de kerktoren en de lichtmasten van het stadion zou kunnen aanraken. Het mooist is het hier in de winter als schaatsers over de Gouwzee zwieren en ijsschotsen de dam op kruien.

Verder oostwaarts wordt de weidsheid indrukwekkend. Alleen het klotsen van de golven, het ruisen van de wind, het krijsen van meeuwen en het blaten van schapen verbreekt de stilte. Zwermen ganzen vliegen over. Op de binnenzee zwoegen aken en zwieren zeilboten, in de verte is de dijk van Flevoland.

Met zijn witte muren, rode pannendak en houten opbouw waakt 't Paard van Marken al sedert drie eeuwen over de waterweg naar Amsterdam, vroeger met een vuurbaak, tegenwoordig automatisch. Een vuurtorenwachter woont er niet meer. Er is een strandje, men kan er zwemmen en pootjebaden.

Bij de Rozenwerf staan ijsbrekers in het IJsselmeer teneinde de huizen te vrijwaren van kruiend ijs. De horizon wordt beheerst door turbo-windmolens, de Hoogovens en de Rembrandttoren. In de wei probeert een boer, heftig molenwiekend met zijn armen, schapen door een hek te drijven. Telkens ontsnapt hem de kudde: het is sisyphusarbeid.

De wandelaar keert terug in de haven, met zijn wemeling van dagjesmensen en watersportlui. Aan drenkplekken geen gebrek. Hij aarzelt: zal hij de bus terug nemen naar Amsterdam of met het veerbootje de Gouwzee oversteken?

ROUTEBESCHRIJVING

Buslijn 111 van Amsterdam CS naar Marken, Kerkbuurt. Straat en parkeerplaats oversteken, schuin naar witte ophaalbrug

(Beatrixbrug). Bordjes 'Haven/havenmeester' volgen. Rechts om haven heen, bij De Taanderij fietspad op. Voor wilgenbosje links over gras, door hek stuwdam op. Deze een eindweegs op, dan terug. Linksaf het pad vervolgen, het IJsselmeer steeds aan uw linkerhand. Het pad buigt naar de vuurtoren en gaat dan naar de Rozenwerf. Hierna Kruisbaakweg over en het pad vervolgen tot aan de haven. Na Sijtje Boes rechtsaf naar bushalte.

Openbaar vervoer en horeca: Marken, Kerkbuurt.

NB. 's Zomers is er een bootverbinding tussen Marken, Monnickendam en Volendam, uit welke plaatsen veel bussen naar Amsterdam rijden.

27
Door volkstuinen en een slaperig dorp

AMSTERDAM — DURGERDAM (12 KM)

De pont houdt al een belofte in hoewel de passagier tegenwoordig binnen moet staan zodat de wind niet meer door zijn haren waait. Langs het voetpad klotst het IJ tegen de beschoeiing, een marinevaartuig stoomt op over het blikkerende water, aan de overzij staan nog de laatste oude pakhuizen.

De wandelaar gaat door het allegaartje dat Amsterdam-Noord is met zijn aftandse woonwijken waar op spandoeken staat 'Red het dorp', zijn fabriekjes, scheepwerven en doorkijkjes in het Vliegenbos. In de kalme dijkdorpen barst het van de kikkers en de kieviten, de distels en de duinroos.

De wandelaar gaat door volkstuinen, perceeltjes herschapen tot kleine lustoorden en koninkrijkjes vol bloemen en stenen kabouters. 'Arbeid Adelt' staat op een huis bij het toegangshek.
    Onder het viaduct door opent zich het uitzicht op de kloeke toren van Ransdorp. In het dorp zelf staat een raadhuisje uit 1662, allang in onbruik. Slaperigheid heerst vlak bij de hoofdstad.

Langs rijen wilgen, Limousin-runderen en een vogelverschrikker voert het pad naar de dijk van het IJsselmeer. In Durgerdam inspecteert de wandelaar de veldwachterspost met de klokkentoren, de waterstaatskerk, de namaak-schandpaal maar vooral het panorama: het lichtbaken in de polder IJ-doorn, een menigte aalscholvers, een elektriciteitscentrale, de bossen van het Gooi in de verte en daarvóór de watervlakte van het IJmeer waarin een nieuwe woonwijk wordt gebouwd.

ROUTEBESCHRIJVING

Van Amsterdam CS met de pont naar Noord, rechtdoor langs kanaal naar sluis, deze naar rechts oversteken, rechtdoor langs wit huis, linksaf, aan het eind rechtsaf Meeuwenlaan, aan het eind linksaf voetpad langs het IJ tot aan het eind linksaf Motorwal, aan het eind rechtsaf Meeuwenlaan. Deze volgen tot voorbij rotonde en na school meteen rechtsaf. Tweede pad linksaf en dit volgen tot links een brugje zichtbaar is. Dit over, linksaf en op Nieuwendammerdijk rechtsaf.

Deze volgen tot nr 475, rechtsaf tot klinkerweg, linksaf. Voorbij brug en bord 'Schellingwoude' rechtsaf. Na nr 293 linksaf, voor kerk linksaf, over brug rechtsaf door hek (volkstuinen), meteen rechtsaf, met bocht mee en rechtsaf voetpad over sloot. Op fietspad rechtsaf en onder viaducten rechtdoor. Bij wegwijzer 17873/1 rechtsaf en over twee bruggen Ransdorp in.

Linksaf, voor kerk rechtsaf, rechtsaf Dorpsweg, aan het eind linksaf en meteen daarna rechtsaf fietspad. Dit volgen tot IJsselmeerdijk, dan rechtsaf Durgerdam, doorlopen tot muziektent.

Openbaar vervoer: Schellingwoude, Ransdorp, Durgerdam.

Horeca: Nieuwendam (twee gelegenheden, een op maandag, de ander op wooensdag gesloten), Schellingwoude (De Kievit), Ransdorp (De Zwaan), Durgerdam (drie gelegenheden).

28
Klotsend water en een rommelige oase

RONDJE OOSTELIJKE HAVENS (13 KM)

In strijd met het motto van dit boekje blijft de route vandaag, tot slot, eens binnen de grenzen van Amsterdam. Het is een verkenningstocht langs de kaden, bruggen, sluizen, aken, jachten, woonboten, loodsen, pakhuizen, terrassen-op-steigers, dijkwoningen, aftandse bedrijfjes en fonkelnieuwe architectuur.

En steeds al dat klotsend en kabbelend water!

De wandelaar kijkt rond in de Vogelbuurt en geniet van het stil-geheimzinnige Vliegenbos, genoemd naar een van die daadkrachtige rode gemeentebestuurders die Amsterdam maakten tot wat het is. Hij bezoekt het wonderbaarlijke Zeeburgereiland, een vrijstaat van kleine nijverheid en trainingskampen voor rottweilers, een rommelige oase in de geordende wereld. Wat een zicht op de haven!

Dan het domein van het Oostelijk Havengebied in, waar de havens, overslagplaatsen en rangeerterreinen overwoekerd zijn door nieuwe woonwijken voor gezinnen met kinderen in buggy's en de variatie in bouwstijlen hoogst bezienswaardig is: een voorbeeld van moderne stadsplanning waar Vliegen en zijn kornuiten trots op zouden zijn. Heet die brug daarom naar hun nazaat Jan Schaefer?

Achter Amsterdam CS van steiger 8 met veerbootje naar Meeuwenlaan. Meteen rechtsaf voetpad en houdt het water rechts met een bocht naar Meeuwenlaan. Rechtsaf, meteen weer rechts Motorkade, wordt Gedempte Hamerkanaal. Aan het eind even naar rechts, naar links de zandvlakte oversteken naar Vogelkade. Vijfde Vogelstraat door naar Zamenhofstraat, rechtsaf en op T-kruising links. In de bocht linksaf het Vliegenbos in.

Eerste pad rechts, eerste links, eerste rechts en dit rechts aanhoudend volgen tot het einde. Even links en rechts brug over. Linksaf en op Nieuwendammerdijk rechtsaf, na nr 397 eventueel over grasdijk. Aan het eind witte brug over, links en rechts Schellingwouderdijk. Bij nr 263 rechtsaf, Oranjesluizen over.

Rechtdoor en aan de overzijde rechts omhoog klinkerwegje. (Negeer bordje 'Eigen weg'). Volg voetpad over dijk, daarna de weg naar de brug over het Amsterdam-Rijnkanaal. Deze oversteken, via trap weer omlaag, onderaan naar rechts de stad in. Met bocht in de weg tot fietspad bij voormalig tankstation, rechtsaf en rechts brug over en aan het eind schuin naar links oversteken, Zeeburgerkade volgen. (U bent nu in het Oostelijk Havengebied).

Aan het eind rechtsaf brug over, meteen rechtsaf Borneokade. Linksaf Bootsmanstraat, twee bruggen over, rechts, water volgen (Ertskade) tot volgende, witte brug. Deze overgaan, via trap en steiger rechtsaf Levantkade op, linksaf via Levantplein naar Surinamekade, linksaf. Op Sumatrakade* rechtsaf Majanggracht, rechtsaf Javakade, rechtsaf Brantasgracht, linksaf naar steiger voor veer naar Amsterdam CS.

Openbaar vervoer: nagenoeg langs de gehele route.

Horeca: Nieuwendam (twee gelegenheden, de een op maandag, de ander op woensdag gesloten), Schellingwoude (De Kievit), Oostelijk Havengebied.

NB. De wandelaar kan bij * links de Jan Schaeferbrug over en aan de overkant rechts naar Amsterdam CS lopen. Hij mist dan echter een aardig boottochtje.